D1269607

LES ACTEURS NE SAVENT PAS MOURIR

ALAIN VADEBONCOEUR

LES ACTEURS NE SAVENT PAS MOURIR

Récits d'un urgentologue

Préface de Guylaine Tremblay

© Lux Éditeur, 2014
www.luxediteur.com

Dépôt légal : 4ᵉ trimestre 2014
Bibliothèque et Archives Canada
Bibliothèque et Archives nationales du Québec

ISBN : 978-2-89596-189-5
ISBN (epub) : 978-2-89596-607-4

Ouvrage publié avec le concours du Conseil des arts du Canada, du
Programme de crédit d'impôt du gouvernement du Québec et de la SODEC.
Nous reconnaissons l'aide financière du gouvernement du Canada par
l'entremise du Fonds du livre du Canada (FLC) pour nos activités d'édition.

Si les récits composant ce livre sont essentiellement tirés de mes 24 années de carrière comme urgentologue, je raconte aussi quelques souvenirs provenant de collègues, avec leur autorisation.

Pour assurer la confidentialité ou faciliter la narration, j'ai toutefois changé les noms, modifié certains détails et bien souvent combiné des histoires apparentées.

Comme j'ai utilisé librement les prénoms de ceux avec qui j'ai travaillé, si le vôtre apparaît là où il n'aurait pas dû, considérez-le seulement comme un hommage.

Certains textes ont été développés à partir de versions parues sur mon blogue à www.lactualite. com.

À Alexis Martin, UDA

L'homme est en contradiction avec la fatalité.
C'est une ambition impossible, mais il
l'oppose aux réalités sans défaillir. Mortel, il
se réclame obstinément de la vie, dans une
partie perdue d'avance.

Pierre VADEBONCOEUR, *Fragments d'éternité*

LA MORT PORTE UNE ROBE
EN FORTREL

C'est l'été, j'ai cinq ans, nous sommes en 1965. Ma mère et moi marchons ensemble, le fleuve est beau, la marée est haute, je m'imagine déjà sur la grève. Maman est belle mais triste, je ne comprends pas pourquoi.

— On va se baigner maman?

— Non, pas aujourd'hui, ma belle.

On s'arrête devant une maison du village. Beaucoup de gens y entrent et en sortent, et ils ont tous le même air que maman. Sans trop comprendre pourquoi, je commence à mon tour à me sentir triste. On entre. Dans le salon, tout au fond, je vois une jeune femme couchée dans une boîte, elle est très belle, ses joues sont toutefois trop rouges.

Elle s'appelle Lucette Simard. Son mari, capitaine de goélette, et ses deux enfants maudiront longtemps ce cancer qui leur a enlevé une épouse et une mère.

— Elle dort la madame, maman?

— Non, mon trésor, elle ne dort pas, elle est morte.

Ma mère pleure.

Mon monde s'écroule! J'ai cinq ans et je viens de comprendre que ma mère, même si elle est jeune, peut mourir elle aussi. Je croyais que seuls les vieux pouvaient mourir! J'ai mal au ventre, j'ai peur, mais je ne le montre pas. Je dois être forte, protéger ma mère. Je vais me battre, avec mes petits poings, je cognerai, je ferai peur à la mort. « Tu ne mourras pas maman! »

C'est ce jour-là que j'ai compris que la vie pouvait s'arrêter à tout moment.

J'en suis maintenant à plus de la moitié de ma vie, et je me sens parfois encore très proche de cette petite fille de cinq ans déterminée à repousser la mort de sa mère. Mais la plupart du temps, je desserre les poings. Je sais maintenant que si j'ai la chance de vivre vieille, je verrai disparaître ma mère, mon père, beaucoup de gens que j'aime, et que je serai à la fois infiniment triste de les perdre et infiniment reconnaissante d'avoir pu les aimer. Avec les années, c'est la seule chose qui a pu faire taire la terreur que m'inspirait la mort : l'amour!

L'amour que l'on porte à ceux qui nous ont quittés est le coup de poing le plus percutant que l'on puisse envoyer dans la gueule de la mort. Celle-ci m'a enlevé ma grand-mère adorée, il y a plus de 20 ans maintenant, elle ne lui a pas laissé le temps de connaître mes enfants, mais la mort n'a pas pu m'empêcher de lui parler tous les jours, depuis, et de me sentir encore proche d'elle, pas plus qu'elle n'a pu m'empêcher de continuer d'aimer tous ceux qui m'étaient chers et qui l'ont rejointe. La mort ne gagnera jamais cette bataille. Jamais! Tant que je vivrai, j'aimerai et tant que j'aimerai, ils vivront! Elle ne comprend rien là-dedans, la mort, parce qu'elle n'aime personne.

Je m'étonne d'ailleurs que la mort soit toujours personnifiée par une belle femme au teint pâle, vêtue de noir, et envoûtante. Je me la représente tout autrement, moi, la mort. Elle porte une robe *cheap* en fortrel, des bas de nylon aux genoux qui lui tombent sur les chevilles, elle fume des Mark Ten, porte du parfum qui pue, genre sapin d'auto, et elle a des reflux gastriques. Elle vient nous chercher, parce que c'est la seule job qu'elle a pu se trouver, personne d'autre n'en voulait.

Revenons plutôt à l'amour. À ces liens qui nous unissent. Car tel est bien le propos de ce livre. En te lisant mon cher Alain, plusieurs fois les larmes me sont montées aux yeux, parce que, bien sûr, les départs de ceux qu'on aime font mal, mais ce qui me bouleverse le plus, c'est l'amour qui jaillit de tes histoires, malgré la mort qui y est omniprésente. On ressort de cette lecture avec une formidable envie de vivre et d'aimer encore plus ceux qui sont là! Pour toutes ces raisons, la mort a détesté ton livre! Elle a piqué une immense colère que seule une quinte de toux de Mark Ten a réussi à arrêter! Je le sais, je l'ai entendue s'époumoner.

«Le contenu est nul, le titre est nul, tu le diras au doc», qu'elle m'a dit, la mort!

Je lui ai répondu que, au contraire, le livre était très bien, et que tu avais raison, Alain: les acteurs ne savent pas mourir! Pourtant, en principe, on peut tout jouer: l'amour, la haine, le désir, la peur, l'envie, l'angoisse. Mais la mort, non, sinon très maladroitement. C'est peut-être là notre seule pudeur?

C'est qu'il n'y a pas de répétitions pour apprendre à mourir. Au cours de notre vie, on peut aimer mille fois, on peut exploser de colère et explorer celle-ci sous toutes ses coutures, on peut pleurer des torrents de larmes, mais on ne meurt qu'une seule fois. C'est la plus grande improvisation de notre existence, et il est rare qu'on l'applaudisse.

Peut-être que je ne saurai jamais mourir comme il se doit sur scène, cher Alain. Dans la vraie vie, par contre, je veux et j'exige (excellent exercice de diction, d'ailleurs) de mourir entourée de ceux que j'aime, avec de la musique et des bulles, sinon je demande un remboursement!

Guylaine TREMBLAY

ENTROPIES

LA MER NE REND PAS LES CORPS

Debout sur le pont arrière, observant l'horizon menaçant, Mary Chapman retient ses larmes. Malgré les nuages annonçant une autre tempête, l'eau est encore calme autour de ce grand voilier parti le 18 juin 1855 de Southampton, en Angleterre.

Mary se trouve si loin d'Ivybridge, dans le comté de Denver, où elle a passé sa vie à l'ombre de la vieille église aux murs couverts de lierre. Elle s'ennuie d'autant plus de son village, des chemins rocailleux, des cottages de pierre aux toits de chaume, des tombes de granit rose et des champs de pavots rouges, qu'elle a laissé là-bas le corps de sa fille, Ashleig, morte au printemps, tuée par la maudite variole.

Elle souffre de la faim, pourtant elle n'y pense même pas ce soir. Elle ne pense pas non plus aux trois nuits qui restent avant de mouiller le bateau dans le port de New York, ni aux vivres qui manquent déjà. C'est qu'elle vient de perdre la petite Caroline Traher, tout juste âgée d'un an, dont elle est la nourrice depuis la mort de sa fille. Six autres passagers ont été emportés par la fièvre depuis la veille. Priant Dieu, même si le cœur n'y est plus, elle essaie de se convaincre que le temps pourra arranger les choses.

— Mary ? It's time. Please come !

La voix de son mari, John Chipman, ferblantier de son métier, la tire de sa rêverie. Elle replace le voile noir qu'elle porte depuis midi malgré la chaleur, lisse un peu cette robe dont l'odeur de moisissure lui donne la nausée et va rejoindre les passagers qui disent adieu aux morts. Vivement l'Amérique, pour échapper à l'ambiance étouffante qui règne sur le navire. Elle se promet surtout de ne plus jamais traverser l'Atlantique.

Retournant vers les corps enveloppés de jute, elle est soudain saisie d'un vertige qui l'oblige à s'agripper aux câbles, puis retrouve son aplomb. Debout juste à côté de Caroline, dont le sac mouillé par la fièvre et les embruns laisse voir la fine chevelure rousse, elle pense avec amertume aux mots d'encouragement qu'hier encore le médecin de bord lui prodiguait. On jettera bientôt les morts à l'eau, qu'on distingue à peine dans la pénombre. Mary souffre à l'idée de devoir annoncer à monsieur Traher la mort de sa fille ; elle espère secrètement que son mari s'en chargera.

À quelques centaines de kilomètres de là, dans le port de New York, William Traher scrute avec inquiétude l'horizon, comme chaque soir depuis une semaine. Après une autre journée de vaine attente, il s'en retourne attristé vers l'hôtel. Habitant avec ses garçons à Clyde, dans l'État de New York, où il a émigré voilà quelques mois, il est venu accueillir le couple Chapman, qui lui amène enfin sa petite Caroline. Refermant la porte de sa chambre, il aperçoit le portrait de sa femme, une descendante de la grande famille des Chamberlain, emportée par la variole deux mois après la naissance de sa fille.

Sur le bateau, Mary se penche une dernière fois sur le corps. Écartant les pans de la toile, elle admire la délicate figure, terriblement pâle, qu'elle embrasse sur le front, caressant les cheveux roux. Elle va se relever, quand elle sent sur sa joue une haleine chaude. Surprise, elle secoue les épaules de la fillette, qui ne réagit pas. Mais elle entend comme un léger murmure.

— Wait! Wait! She's alive!

Le capitaine s'impatiente, parce qu'il se fait tard et qu'il est temps de terminer la cérémonie, de ranger le pont et de mettre à l'abri les passagers avant la tempête. L'homme imposant, à la barbe grise bien taillée, sort sa montre ; elle indique midi, ce qui est étonnant. Il se souvient qu'il doit la faire réparer en Amérique. Il pousse un soupir, car il sait bien qu'à chaque cérémonie funèbre, des proches bouleversés perçoivent ces faux signes de vie, causés par le mouvement des corps que le roulis ballotte ; quoique la mer soit calme, ce soir. Jetant un coup d'œil à Caroline, il s'approche de Mary et la saisit doucement par les épaules.

— M'am, it's hard, but it's time to...

— I heard her voice.

— Let's move on.

— I said she's not dead!

Mary pousse un cri et se dégage d'un mouvement d'épaule de l'emprise du capitaine, qui lance un juron, recule d'un pas et donne contre la balustrade. Tout en se redressant, il hèle son second.

— Edward, would you please...

— Stop! Please look!

Cette fois, c'est le cri de monsieur Chipman. Le capitaine se retourne afin de le sermonner, parce qu'il est temps de mettre fin à ce manque de respect. Mais l'homme, tout sourire, lui montre le visage de la petite, qui a les yeux grand ouverts. Le capitaine regarde à nouveau et rugit :

— Officer! The baby's still alive!

Pendant que John serre Mary dans ses bras, l'officier soulève Caroline à hauteur de visage en jubilant, puis il la transporte en courant jusqu'à sa cabine et fait appeler le médecin.

Surmontant sa fatigue, Mary veille jour et nuit. L'état de l'enfant s'améliore graduellement, malgré la tempête qui fait craquer la coque et agite le bateau dans tous les sens.

Au troisième matin, le beau temps enfin revenu, Mary monte sur le pont pour respirer l'air frais et remercier le capitaine. Elle tient solidement Caroline contre elle. En arrivant sur la passerelle, d'abord éblouie par le soleil, elle voit apparaître peu à peu les bâtiments d'une ville moderne qui se découpe au loin sur l'horizon. Une vague d'émotion l'envahit : elle a reconnu New York, dont monsieur Traher lui a souvent parlé.

Apercevant la silhouette du navire portant drapeau anglais, William Traher comprend qu'il va retrouver sa fille et que la vie va suivre son cours. Il compte déménager sous peu au Canada pour ouvrir une boutique à London, en Ontario, ville choisie parce qu'elle est traversée par la petite rivière

Thames, dans le comté de Middlesex, comme la Thames de Londres, en Angleterre.

Après avoir recouvré la santé, Caroline grandit chez sa nourrice, où elle est élevée dans la tradition protestante. William Traher, qui vient régulièrement la voir, lui est présenté comme son oncle. C'est seulement à l'âge de neuf ans qu'on l'informe du lien réel avec son père, qui la place tout de suite au couvent des Dames du Sacré-Cœur à London, où elle reçoit une bonne éducation et suit des cours de piano et d'orgue. À 18 ans, elle retourne vivre chez son père, qui s'est remarié, mais comme elle s'entend mal avec sa belle-mère, elle quitte la région pour prendre le poste d'organiste de Biddulph, en Ontario, où elle loge au presbytère. Le curé ayant ensuite été nommé dans la paroisse de Belle-Rivière, dans le comté d'Essex, elle y déménage. Un dimanche, en accompagnant le chœur, elle remarque un ténor amateur aux manières un peu délurées, mais qui sait jouer de ses charmes. Elle s'enquiert pudiquement de son identité : il s'agit du docteur Ulric Gaboury, un nouvel arrivant. Cette rencontre sera pour moi déterminante, comme vous le comprendrez bientôt.

Né en 1849 à Saint-Jean-Baptiste de Rouville, près de Saint-Hyacinthe, Ulric Gaboury est le fils du maquignon Jean-Baptiste Gaboury[1]. Son père

---

1. Père d'Ulric, Jean-Batiste Gaboury a aussi vu le jour à Saint-Jean-Baptiste, en 1796. C'est le fils d'un autre Jean-Baptiste Gaboury, de Belœil, lui-même fils de Jean-Baptiste Gaboury, de Saint-Ours, fils de Jean-Baptiste Gaboury, de Saint-Augustin, à son tour fils de Jean-Baptiste Gaboury, de Saint-Augustin aussi, fils d'Antoine Gaboury, né en 1642 à

meurt quand il n'a pas encore dix ans. Sa mère se remarie, mais l'enfant n'aime pas beaucoup son beau-père, Édouard Chabot. Un bon matin, quand ce dernier lui demande un peu rudement d'atteler les chevaux, le jeune homme de 14 ans prend quelques effets, monte lui-même dans la carriole et se sauve jusqu'à Saint-Martin, où son frère ainé, Amédée, pratique la médecine. Il vend cheval et voiture et décide de ne jamais retourner à Saint-Hyacinthe.

Doué pour les études, qui sont financées par Amédée, Ulric se tourne lui aussi vers la médecine, puis devient assistant du docteur William H. Hingston durant une grande épidémie de vérole, juste avant que celui-ci ne devienne maire de Montréal. Il obtient son doctorat en 1872. Ses quatre autres frères seront également diplômés du Collège de médecine de Montréal.

Le docteur Ulric Gaboury commence à pratiquer à Curran, en Ontario, village tiré à la courte paille avec son frère Tancrède, qui s'installe pour sa part au Québec à Bryson, dans le comté de Pontiac. Ayant pratiqué ensuite à Chicago, Ulric revient en 1874 au Canada, puis s'installe finalement à Belle-Rivière. Dans ce village, en raison de ses talents de chanteur, il rejoint le chœur de l'église, où Caroline Traher touche l'orgue, comme on l'a vu. À son tour séduit par le charme discret de cette rousse Anglaise, il l'épouse en 1877. De leurs dix enfants, quatre atteindront l'âge adulte, dont Hector Gaboury, sur lequel je reviendrai.

La Rochelle, arrivé au Québec en 1667. Le patronyme Gaboury est dérivé de Gab-Rik, en langue viking, qui signifie « donneur de richesses ».

Le malheur frappe Ulric quand, des années plus tard, revenant de sa visite aux malades, un des deux broncos de sa carriole se détache de l'attelage. Joseph Ouellette, son «homme engagé», lui confie les rênes pour aller le rattacher, mais il effraye les chevaux en sautant de la voiture. Pendant qu'il tente de retenir les bêtes, le médecin est projeté en l'air et la pointe acérée du timon de bois lui transperce le ventre. Il roule alors dans le fossé, saignant profusément.

On le transporte inconscient chez l'habitant d'une maison voisine, d'où l'on fait appeler d'urgence le docteur Béchard, médecin du village, qui constate la gravité de la blessure – l'estomac a été directement atteint – et prépare une forte dose de morphine. En quittant la maison, ce médecin, un ivrogne apparemment peu scrupuleux, glisse au propriétaire: «Si Gaboury prend cela, il va dormir longtemps.» L'habitant, déjà sur ses gardes, revient en courant et lance à Ulric, qui buvait la mixture: «For God's sake, Doctor, don't swallow that!» Ulric recrache tout. L'histoire ne dit pas s'il y avait conflit d'intérêts, mais quelques jours avant l'accident, le docteur Béchard avait acheté la pratique d'Ulric et il causa par la suite beaucoup de difficultés à la famille.

Ulric s'en remet plutôt aux soins du docteur Holmes, le médecin de Chatham. Six mois durant, il est cloué au lit, pendant que deux hommes appliquent jour et nuit sur ses plaies béantes des compresses chaudes trempées dans le lin. Le médecin survit miraculeusement et retourne à sa pratique, qui l'amène dans différents villages de l'Ontario, où il soignera les malades jusqu'à 89 ans. C'est finalement à 91 ans, en janvier 1940, qu'Ulric meurt dans la maison de son fils, Hector Gaboury, devenu également médecin, qui exerce dans le village de Plantagenet comme son père.

C'est seulement à 33 ans qu'Hector s'est tourné vers la médecine. N'eût été du décès de son jeune frère Laurent, écrasé par un train le jour où il revenait de fêter la réussite d'un examen l'autorisant à pratiquer en Ontario, il serait peut-être demeuré inspecteur d'écoles, même s'il était alors démoralisé par le fameux Règlement 17, qui bannissait l'enseignement du français dans les écoles primaires de l'Ontario. Hector devient donc médecin de famille et le restera jusqu'à la fin de sa vie. J'ai connu cet homme sévère, plutôt misanthrope et quelque peu anticlérical, puisque nous nous rendions souvent chez lui avec ma mère. Il m'apprenait à jouer au paquet-voleur et m'a peut-être même donné le goût de soigner les malades. Parce que le docteur Hector Gaboury, c'était mon grand-père.

Par mon arrière-grand-mère, Caroline Traher, tenue pour morte et presque jetée à l'eau, et son mari, le docteur Ulric Gaboury, qui a bien failli laisser sa peau dans un grave accident, je suis le descendant d'une lignée de personnages plutôt vigoureux et un peu insoumis, lesquels sont par ailleurs souvent médecins. Mais ils ont si souvent frôlé la mort que je n'aurais jamais parié, à l'époque, sur mes propres chances de venir un jour au monde.

MENACES

Avec tout ce qui est arrivé à mes ancêtres, je m'étonne d'être là pour vous raconter mes histoires sur la mort, la souffrance et l'entraide, en un mot sur ce fragile phénomène qu'est la vie. Mes propres mésaventures et celles dont j'ai été témoin jusqu'ici sont probablement comparables aux vôtres, pourtant les mettre bout à bout me donne le vertige.

Mon premier souvenir médical remonte à l'âge de quatre ans. À la fin de l'hiver 1968, je tousse depuis quelques jours, j'ai aussi de la fièvre et surtout la respiration encombrée. Inquiète, ma mère appelle le bon docteur Corber, médecin juif toujours souriant, qui respire fort par ses narines démesurées. La salle d'attente de son bureau situé dans un demi-sous-sol de la rue Rockland, au coin de Van Horne, est presque toujours vide. Comme secrétaire, il compte sur les services d'un vaillant répondeur à cassette et rappelle lui-même ses patients pour leur donner rendez-vous.

Il pose quelques questions à ma mère, m'assoit sur la table d'examen, puis appose la cloche froide de son stéthoscope sur ma cage thoracique. Après un moment, il fronce les sourcils, dont les broussailles accentuent l'expressivité. Il me dirige ensuite vers la petite salle obscure au fond de son bureau, afin de prendre un cliché radiographique, qu'il développe lui-même, comme un photographe, dans un grand bac sentant les produits chimiques. Et le verdict tombe : j'ai une mauvaise pneumonie. Heureusement, comme les antibiotiques sont disponibles depuis au moins 30 ans, l'infection disparaît en quelques jours, sans laisser de trace.

Plus tard durant l'année, alors que nous sommes en plein été, un cri de détresse, dont le souvenir m'est resté intact, me fait sursauter : « Grand-papa est mort ! » La porte du chalet que nous louons en 1968 sur la rivière Mullens, près du Grand lac Nominingue, vient de s'ouvrir avec fracas et ma mère entre en pleurant. Son père, le docteur Hector Gaboury, a été découvert sans vie dans sa maison, affalé sur le grand fauteuil du salon. Dans l'escalier, on a retrouvé une lourde table qu'il voulait probablement déménager lui-même. Cet effort lui a donné le coup fatal, à 85 ans. C'est la première fois que je suis confronté à la mort.

Deux ans plus tard, nous nous rendons de plus en plus souvent à notre chalet familial, acheté sur le même lac par mon père, avec l'argent de ses congés de maladie, puisqu'il n'était pas malade et ne manquait jamais une journée de travail. Nous roulons donc fréquemment sur la route 11, où filent en sens contraire des camions chargés de bois, de grosses voitures américaines et des motos se faufilant en pétaradant. La congestion routière allonge les bouchons sur plusieurs milles, durant lesquels nous apprenons à être patients, tandis que les conducteurs qui le sont moins multiplient les dépassements hasardeux. De la banquette arrière, j'observe toujours avec une certaine inquiétude les phares surgir de temps en temps devant nous, surtout dans les longues lignes droites au bord de la rivière Rouge. Mon père doit parfois ralentir et, une ou deux fois, il se tasse brusquement sur l'accotement pour éviter un chauffard. Ce soir-là, comme nous stagnons depuis longtemps dans un embouteillage, il finit par s'impatienter. Dans une longue courbe où les voies sont pourtant séparées par une ligne continue, je l'entends crier : « Bon, je me décide ! » et il accélère brutalement, doublant la filée de voitures. Le temps de lever les yeux et je vois avec horreur un camion se diriger droit sur nous ! Je m'éveille en sursaut, tremblant de tout mon corps et couvert de sueur. Je suis pétri de peur.

Le spectre de cet accident fictif a hanté mon enfance. Cette mésaventure imaginaire m'a aussi fait comprendre, pour la première fois, qu'il suffit d'un rien pour que la vie s'interrompe. C'était peut-être aussi un rêve prémonitoire qui présageait de mes ennuis futurs avec les automobiles.

Perdre un grand-père est une épreuve difficile, mais la mort peut être encore plus douloureuse. Lorsque j'ai 13 ans, ma grande sœur Hélène, qui est également ma marraine, s'approche de moi un midi, avec son air grave des grandes occasions. J'attends, un peu inquiet, que tombe l'accusation, réfléchissant à tous mes mauvais coups récents, question d'imaginer une parade.

— Alain, il faut que je te dise quelque chose.

— Ben non, c'est pas moi...

— Manu a eu un accident.

— Il est à l'hôpital?

— Il est mort.

Manu, le fils de ma sœur, séjournait avec sa mère Rachel en Estrie, justement dans la maison d'Hélène, près d'un chemin de terre où il ne passe presque jamais de véhicules.

C'est l'heure du déjeuner, Manu joue à l'arrière de la maison. Alors qu'elle se rend pour une seconde à la cuisine afin de prendre deux bols de gruau, Rachel entend approcher une voiture. Elle retourne rapidement dans la cour, cherchant des yeux son fils, qui n'est plus là. Elle l'aperçoit, horrifiée, sur son petit tracteur de plastique, descendant la côte sur la route, là où l'automobiliste ne peut le voir. Affolée, elle se porte au-devant de la voiture, crie et agite les bras. La voyant surgir, le conducteur tourne la tête, l'instant d'après Manu reçoit le choc et meurt sur le coup. La voiture se retrouve dans le fossé. L'automobiliste se serait trompé de pédale, appuyant sur l'accélérateur au lieu du frein.

Soufflé par la nouvelle, je m'éloigne sans dire un mot, laissant ma sœur Hélène désemparée derrière moi. Sorti sur le perron avant, je m'assois sur les marches et passe un bon moment les yeux dans le vide. Je ne comprends sans doute pas tout ce que cette mort signifiera pour ma famille dans les années à venir. Depuis, ce très bel enfant, qui aura toujours deux ans et quelques mois, apparaît régulièrement dans les œuvres de Rachel, cette artiste de talent.

Ce terrible épisode me confirme que la vie peut nous être enlevée n'importe quand. C'est aussi valable pour moi. Au printemps de 1980, je pédale à grande vitesse, comme tous les après-midis, retournant chez moi après ma journée au cégep Saint-Laurent. Le trajet fait environ sept kilomètres, que je parcours hiver comme été. Roulant plein sud sur Davaar, je m'arrête au feu rouge de la rue Van Horne, à un coin de rue du bureau du docteur Corber. Le feu redevenu vert, j'embraye promptement, mais un crissement de pneu me fige sur place. Je freine sec et aperçois en même temps une énorme Jeep terminer sa course sur ma gauche à trois centimètres de moi. En furie, j'engueule l'imbécile de chauffeur, qui me regarde abasourdi, lève les mains au ciel et pointe le feu de circulation, hurlant encore plus fort que moi. Merde ! Mon feu était encore au rouge. Sans les réflexes du conducteur, la Jeep me rentrait dedans à la hauteur du thorax et je serais sans doute mort sur le coup. Penaud, je poursuis mon chemin, m'excusant pour ma stupidité. Mes cuisses en tremblent encore quand j'arrive à la maison.

Mis à part un intense épisode dysentérique en plein désert, dont je vous épargne les détails, mes années de médecine, commencée en 1982, sont plus tranquilles sur le plan somatique. Mais un jour de 1990, alors que j'en suis à ma première année de pratique et que je dois aller travailler, ma vue s'embrouille soudain et mon champ de vision se remplit de formes géométriques. Je n'ai jamais rien eu de tel. Pas de doute : c'est une aura épileptique ! À mon âge, il y a sûrement une cause primaire, la plus probable étant la tumeur au cerveau. Ma démarche diagnostique terminée, j'ai la certitude que je vais perdre connaissance et convulser dans les secondes qui suivent. Mon front se couvre de sueur tandis que l'aura s'intensifie. Je m'attends au pire, mais je ne vais quand même pas appeler l'ambulance pour des visions. Or, c'est curieux, les convulsions n'arrivent pas. Quinze minutes plus tard, le kaléidoscope disparaît. J'ai comme un léger mal de tête, accompagné de nausées, sans plus.

À force de ressentir le phénomène occasionnellement, et après en avoir discuté avec des neurologues, j'en ai conclu qu'il s'agissait d'auras de migraines, sans maux de tête, un problème peu fréquent. D'autres membres de ma famille en souffrent aussi. Au bout d'une dizaine d'années, les crises disparaissent comme elles sont venues. Une autre fausse alerte, la vie continue.

Il sera maintenant question de voiture. Pendant des décennies, ce fut la principale cause de mort violente chez les jeunes Nord-Américains, supplantée récemment par l'usage des drogues et les suicides. Nous sommes en 1992 et c'est le soir du 31 décembre. Ma compagne est enceinte, nous filons vers Québec pour y passer le jour de l'An dans sa famille, et c'est elle qui conduit pendant que je dors, puisque j'ai travaillé la nuit précédente. Je rêve curieusement que mon lit est en travers de la chambre. Ouvrant les yeux, je constate que la voiture roule bien vers Québec, mais avec un angle étonnant d'environ 45 degrés par rapport à la route. Face à moi, on devine les champs qui défilent vers la droite, dans la lueur du premier quartier de lune. Autrement dit, nous sommes en plein dérapage à 100 kilomètres à l'heure sur de la glace noire. Les mains crispées sur le volant de notre vieille Tercel achetée à un copain, ma compagne essaie de redresser la voiture. Comme il est question de conduite automobile et que c'est moi le gars, je saisis d'un geste rapide le volant de ma main gauche. Puis, je donne un savant coup de roue pour redresser la voiture. Et ça fonctionne! Mais la rotation se poursuit, suivant le principe universel de l'inertie. Nous pointons maintenant à 45 degrés vers le terre-plein central. Deux secondes après, la voiture est complètement de travers. Je souhaite alors ardemment que la plaque de glace noire soit immense, parce que dès que nous l'aurons quittée, nous allons capoter.

Cette autoroute est sur le point de se transformer en piste d'autos-tamponneuses, car plusieurs conducteurs perdent le contrôle autour de nous. Il n'y a rien d'autre à faire que de regarder tourner le paysage. Nous en sommes d'ailleurs à 180 degrés, donc à reculons, si on connaît bien sa géométrie. Filer à cette vitesse sur l'autoroute 20 est inquiétant quand les lumières des camions qui vous suivent éblouissent votre pare-brise avant. Je ne sais pas comment tout ça va finir, mais la voiture semble commencer à glisser vers le terre-plein. Et d'un coup, s'élève un incroyable tourbillon de neige dans un bruit de souffleuse, le tout durant moins de cinq secondes. Puis, c'est le silence, la voiture est immobile et le moteur, étouffé. Ma blonde regarde fixement devant elle, pensant peut-être que je nous ai volontairement glissés dans cet écrin de neige qui recouvre maintenant la voiture jusqu'au capot. L'important, c'est que nous soyons vivants. Du moins pour l'instant : plusieurs tourbillons s'élèvent autour de nous avec chaque fois un bruit sourd, tandis que nous attendons le choc fatal qui n'arrive pas.

Une fois la poudrerie retombée, j'aperçois les autres voitures, enfoncées ici et là dans la neige. J'arrive à sortir par la fenêtre et patauge pour aller vérifier si tout va bien. Personne n'est blessé, mais il y a quantité de tôle pliée. Je reviens à ma voiture, dont je fais le tour : il n'y a aucun dommage apparent. Ma blonde repose toujours sur son siège, les mains sur le ventre. Quand la dépanneuse nous sort de là, nous reprenons la route après un arrêt au village, question de calmer nos esprits. Nous aurions pu tomber en bas du viaduc, recevoir un camion en pleine gueule, capoter, nous briser le cou ou bien périr brûlés. Rien de tout cela : nous arriverons même à temps pour le décompte de minuit.

Le lendemain, ma blonde perd un peu de sang, mais notre fils naîtra sans problème huit mois plus tard. Quand j'y pense, personne ne peut savoir ce qui serait arrivé, si je n'avais pas aussi virilement – c'est-à-dire stupidement – braqué le volant. Je ne serais peut-être pas là pour vous en parler.

Une autre histoire de voiture ? Après une légère dispute à la maison, portant sur le fait que j'ai décidément trop de réunions le soir, je roule de mauvaise humeur sur Curé-Poirier, dans notre grosse Ford Taurus familiale, surnommée affectueusement le Paquebot blanc. Je me rends justement à une conférence sur la traumatologie à l'hôpital Charles-Lemoyne et j'attends patiemment au feu rouge. Quand il vire au vert, j'appuie sur l'accélérateur, mais j'ai à peine avancé que j'aperçois un éclair blanc sur ma gauche et que tout explose dans un bruit de ferraille. Une odeur de poudre envahit la voiture. Sur ma droite, l'énorme 4x4 tourne encore deux ou trois fois sur lui-même avant de terminer sa course à une cinquantaine de mètres, à reculons sur le chemin Chambly, ayant réussi à éviter les voitures venant en sens inverse. Je me palpe un peu, je n'ai mal qu'au pouce, probablement un coup de coussin gonflable. Des policiers s'immobilisent au milieu du carrefour et allument leurs gyrophares. Deux jeunes sortent du camion et viennent me voir.

— Hey fuck man, on a passé sur la rouge !

Merci de l'information. Ça tombe bien, les policiers prenaient des notes ; ils viennent ensuite jusqu'à moi.

— Assoyez-vous, monsieur. L'ambulance arrive.

— Ça va. J'ai pas de mal. Sauf au pouce.

Enfoncé d'un bon 30 centimètres, l'avant de ma grosse familiale est complètement démoli et fume diablement. Je m'en éloigne par prudence. Si je comprends bien, j'ai percuté le camion et non l'inverse, fort heureusement, parce qu'il devait rouler à 100 à l'heure. Un mètre de plus, je disais adieu à mes jambes ; deux mètres, j'avais le camion en plein visage. Impossible de résister à cet impact qui m'aurait fait sauter la tête ; mon fils n'aurait gardé aucun souvenir de moi et ma compagne aurait regretté de m'avoir ainsi laissé sur une chicane. Depuis, je prends systématiquement deux ou trois secondes afin de vérifier, à droite et à gauche, que la voie est bien libre avant d'avancer au feu vert.

De retour au vélo. Nous sommes en 1996, c'est le printemps sur la base de plein air de Longueuil, les enfants courent autour des grands étangs et les bernaches canadiennes dévorent tout le pain qui leur est jeté malgré l'interdiction de les nourrir. Par ce bel après-midi, je pédale pour me rendre au travail et suis un peu en retard. J'admire tout de même le spectacle de la vie reprenant ses droits après l'hiver. Les gars jouent au frisbee, les filles sont belles, et celle que j'aperçois sur ma gauche est particulièrement inspirante. Le temps de me retourner, je constate que je ne suis plus enligné sur le petit pont et que je fonce vers un fossé dans lequel pousse un gros arbre. Amorçant mon vol plané, j'ai le réflexe de pencher ma tête vers la gauche pour éviter le tronc, que mon épaule frôle à peine. Je termine ma course de l'autre côté, une roue de vélo tordue et un bras endolori, mais le cerveau intact. Je vais être un peu en retard à mon quart de travail. Cette pulsion de vie aurait bien pu me briser le crâne. Depuis, je mets toujours un casque et regarde plus souvent devant moi.

Tout est une question de souffle, on le sait. L'année suivante, au mois d'août, lors de la fête des quatre ans de mon fils, je l'apprends à mes dépens. Les enfants rigolent quand je leur raconte mes histoires avec la voix de canard que me donne l'hélium. Lorsque ma compagne les attire dans la cour pour une surprise, je prends une dernière bouffée du gaz, je me lève et je traverse la maison en quelques enjambées rapides. Je veux leur lancer une dernière tirade depuis le patio arrière pour clore en beauté la séance, mais je ne m'y rends même pas, tout devient noir et je tombe par terre. L'hélium n'est pas toxique, mais je n'ai plus assez d'oxygène dans les poumons. Je prends une grande inspiration et la vue me revient. Je reprends ensuite mon souffle pendant que les enfants rient de mes surprenantes acrobaties. Intéressante observation : l'asphyxie rapide est pratiquement indolore.

En 2001, c'est plus sérieux. Je sens progresser toute la matinée une douleur assez vive au ventre, accompagnée de frissons. Je me palpe régulièrement pour suivre l'évolution du problème. Il faut bien me rendre à l'évidence : j'ai une diverticulite, une infection parfois grave de la paroi du côlon gauche, similaire à une appendicite, mais de l'autre côté. Ce n'est pas réjouissant : j'ai peut-être un cancer, après tout. Il faut aller à l'urgence, parce que ça peut se transformer en péritonite. Mon ami Claude me rencontre. C'est un excellent médecin que j'ai moi-même engagé voilà quelques années. Agronome de formation, il fut jadis le deuxième plus gros éleveur de cailles du Québec, livrant les oiseaux tôt le matin par milliers, avant d'aller en classe.

— Claude, je pense que j'ai une diverticulite.

— Fais-moi voir ça.

Je lui décris mes symptômes, il m'examine et quand il m'appuie sur le ventre, à gauche, je sursaute.

— On va te faire un bilan, un test d'urine et tu vas passer une écho.

— Mais j'ai pas de symptômes urinaires.

Il quitte la salle d'examen pour aller rédiger son dossier pendant que l'infirmière vient à mon chevet, prélève un peu de mon sang et me tend un petit pot.

— Va faire ton pipi et ramène-moi ça.

— J'ai pas besoin de ça.

— Claude l'a prescrit.

— Oui, mais c'est le patient qui décide.

Elle lève les yeux au ciel. Je sors de la salle d'examen pendant que Claude rédige ma demande d'échographie.

— On va te faire ça tantôt, Pierre est en train de dîner.

— Si tu veux, je peux aller porter la requête.

Décidant de prendre les choses en main, je me rends en radiologie, où je croise Pierre qui revient de son dîner.

— Claude veut une écho. J'ai une diverticulite, je pense.

— On va regarder ça.

Pierre complète l'échographie et me montre les images.

— C'est bien ça. T'as même un petit abcès ici, tu vois?

— Rien d'autre? Pas de cancer?

— On verra plus tard.

En sortant de la radiologie avec une copie de l'image, je croise Christian, un chirurgien de confiance.

— T'es ben pâle, encore sorti hier?

— Arrête de rire, j'ai une diverticulite avec un abcès, il va peut-être falloir que tu m'opères.

Je m'allonge sur la civière. Il me palpe à la manière d'un chirurgien, ce qui veut dire que c'est un peu plus douloureux. Puis, il regarde l'image.

— Ouais, pas d'opération pour tout de suite, mais on va t'hospitaliser.

— Ben voyons donc.

— Ça peut se perforer et ça te prend des anti-biotiques intraveineux.

— Je reste pas ici, ma blonde va me les donner à la maison.

Sur ce, repasse Claude, mon médecin traitant.

— Qu'est-ce que tu fais là, Christian ? Je t'ai pas demandé.

— Ben, je l'examine. Il a une diverticulite et il veut pas rester à l'hôpital.

Quelques heures plus tard, je quitte l'hôpital avec mes sacs de soluté, mes antibiotiques, mes antidouleurs et un cathéter dans le bras. Je suis aussi insupportable à la maison qu'à l'urgence, contrôlant comme un maniaque chacune de mes infusions d'antibiotiques. Finalement, après plu-sieurs jours de repos et d'antibiotiques, l'abcès répond au traitement ; je ne subirai donc pas d'opération, du moins, pas tout de suite. Mais je crains toujours d'avoir un cancer et tel qu'indiqué, quelques semaines plus tard, je passe un lavement baryté, injection de colorant dans le rectum, plus supportable qu'on pourrait le penser, et qui sur-tout démontre l'absence de toute lésion suspecte au côlon. Quand j'en reparle à Claude, il est bien content, mais termine en m'annonçant que, sauf urgence vitale, il faudra que je me trouve un autre médecin.

Côté piscine, j'ai une fois agi comme un imbé-cile, ce qui aurait pu être tragique. Nous sommes en 2010, c'est l'été et je reviens de Gaspésie avec mes trois enfants, où nous avons profité du temps magnifique pour faire un peu de camping alors que ma conjointe est de retour au travail. Je m'arrête pour souper chez l'ami Pierre, sur la Rive-Sud de Québec, et nous arpentons ensemble son superbe terrain au bord du fleuve. Comme il fait chaud et humide, j'enfile au retour mon maillot pour aller me rafraîchir dans la piscine, pendant que les enfants jouent à l'intérieur. On distingue assez bien, dans la lumière du crépuscule, les contours et le fond. Je plonge du côté le plus creux et... Bang! Mon nez heurte violemment le ciment, ma tête claque vers l'arrière et je sens un pincement dans mon cou. Je ne perds heureusement pas connaissance, je suis juste un peu sonné; je me laisse remonter doucement jusqu'à la surface.

D'abord respirer: ça fonctionne; puis, les jambes: elles bougent bien; je sens aussi mes bras. La moelle épinière est donc sauve. Quant à mon cou, je n'ai pas de douleur notable, à peine un peu de raideur. J'en serai quitte pour une vraie frousse et une bonne poque sur le nez, mais j'aurais pu me rompre la colonne cervicale, me sectionner la moelle, m'écraser le tronc cérébral et crever là, au fond de la piscine, ou bien terminer mes jours en fauteuil roulant.

On dira peut-être que je suis un peu hypocondriaque. Il est certain qu'être médecin permet d'analyser bien des sensations plus ou moins anormales. Dans certains cas, je déduis le pire, mais seulement quand c'est une possibilité réelle; le plus souvent, je n'en fais pas trop de cas. Surtout avec mes enfants: je n'applique avec eux aucun des principes que je recommande pourtant, au grand dam de mon infirmière de compagne. Primo, je ne vérifie jamais leur température ; secundo, je ne regarde presque jamais leur gorge ; tertio, je ne les amène jamais dans une clinique quand ils sont malades[1]. Un peu de Tylenol, un beau dodo et on verra demain. Et vous savez quoi ? À eux trois, ils n'ont pris que deux fois des antibiotiques et n'ont pratiquement jamais eu la gastro.

Qu'on vienne me dire après ça que je pense toujours au pire, même si, croyez-le ou non, ça finit toujours par arriver. Parlez-en à monsieur Robichaud.

---

1. Comme médecin, je dois souligner que je ne vous recommande aucune de ces approches. Prenez la température de vos enfants et consultez quand vous êtes inquiets. Ceci était un message d'intérêt public.

LA FIBROSE DE MONSIEUR ROBICHAUD

De mon poste de travail à l'urgence, j'observe monsieur Robichaud sur sa civière. Il a le dos vouté et l'air hagard, et surtout, il respire très rapidement dès qu'il bouge. On lit sur son visage de la résignation, de la tristesse, de la colère et du dépit. La fibrose rongeant ce qui lui reste de poumons, sa vie dépend d'un mince tube de plastique accroché à ses oreilles et fixé dans ses narines, où est délivré de l'oxygène produit par un concentrateur électrique. En cas de panne de courant, il devra rapidement rebrancher ce tube sur une petite bonbonne d'urgence et se rendre à l'hôpital, sinon il ne se relèvera plus.

Mon collègue pneumologue lui explique la gravité de sa maladie, la probable progression de ses symptômes et les mesures à prendre en cas d'aggravation. Mais il n'a trouvé ni cause évidente ni traitement à la maladie, il peut seulement en constater les dommages et retarder la baisse graduelle de l'oxygène sanguin en concentrant celui qui est disponible. Les poumons deviendront de plus en plus rigides et leur ventilation exigera un effort musculaire de plus en plus grand. Conséquemment, les échanges gazeux diminueront peu à peu. Il n'y a là rien de réjouissant et, pour ainsi dire, aucun espoir.

Au fur et à mesure qu'il encaisse les coups, mon patient s'assombrit; il lui reste quelques semaines de vie, pas plus, et il le sait. Il luttera jusqu'au bout pour pousser chaque molécule d'oxygène vers ses globules rouges, à leur tour propulsés par un cœur forçant déjà la cadence. Ce double travail respiratoire et cardiaque consommant chaque jour plus d'énergie, il épuisera graduellement ses réserves. Au-delà d'un point de non-retour, les muscles respiratoires ne fourniront plus à la demande et ils se fatigueront eux-mêmes; leur défaillance entraînera à son tour la chute accélérée des échanges gazeux, déjà limités, menaçant l'ensemble des organes, dont le cœur, particulièrement sensible à une baisse de l'apport en sang oxygéné. Quand le débit cardiaque s'effondrera, compromettant davantage l'oxygénation du cerveau, très vulnérable, puis de tous les autres organes, monsieur Robichaud perdra plus ou moins rapidement connaissance, ce qui aura pour seul avantage de mettre un terme à ses souffrances et à l'angoisse de l'asphyxie.

Confronté à de telles menaces – baisse d'oxygène, épuisement des muscles respiratoires, réduction du débit cardiaque, anomalies cérébrales et défaillance du fonctionnement de chaque cellule –, l'organisme déclenchera deux mécanismes de dernier recours. Les cellules changeront d'abord leur mode de production d'énergie pour tomber en métabolisme anaérobique – c'est-à-dire fonctionnant sans oxygène –, ce qui leur permettra de se maintenir en vie un certain temps, au prix d'une sécrétion massive d'acide lactique qui perturbera profondément l'environnement cellulaire et menacera l'intégrité tissulaire, pente irréversible si l'aérobie n'est pas rapidement rétablie.

D'autre part, le cerveau commandera en désespoir de cause la relâche de toutes les réserves d'adrénaline, cette hormone du stress immédiat, dans l'espoir de rétablir la perfusion et l'oxygénation des tissus avant l'effondrement final, dont il ne fera ainsi que précipiter la venue. Ce repli défensif du corps tout entier aura pour effet direct d'accélérer le rythme cardiaque et la respiration, le tableau classique de l'agonie.

Si le patient est toujours conscient, ce qui est peu probable, son angoisse montera en flèche en raison de la sécrétion massive d'adrénaline. J'en sais quelque chose : jeune étudiant en médecine, j'avais eu l'idée, aussi originale que douteuse, de m'injecter un peu d'adrénaline sous la peau, simplement la dose donnée en cas d'allergie. Mal m'en prit, j'ai pensé que mon cœur ne tiendrait pas le coup et j'ai rarement ressenti une telle panique, mais heureusement, la tempête n'a duré qu'une dizaine de minutes. Une expérience à ne pas répéter.

Ensuite, les fonctions vitales s'écrouleront rapidement, spirale irréversible qu'on appelle aussi « choc dépassé », dans la mesure où le retour à l'équilibre n'est plus possible, quoi qu'on fasse. Assommées à leur tour, les zones les plus primitives et les plus résistantes du cerveau, celles que tous les animaux partagent, qui contrôlent autant la respiration que la pression artérielle, cesseront de fonctionner, entraînant l'arrêt cardiaque, qu'on appelle aussi la mort, aboutissement d'une succession de déséquilibres dépassant l'étonnante capacité d'adaptation du corps humain.

Parce que notre vie repose tout entière sur l'équilibre de milliers de systèmes, assurant ce qu'on appelle l'homéostasie, qui permet le maintien d'un milieu intérieur stable et fonctionnel, répondant à des critères biologiques très précis. Toute maladie peut être expliquée par une défaillance plus ou moins prononcée d'un ou de plusieurs de ces équilibres, la guérison survenant quand nos propres mécanismes de compensation redressent enfin le navire menacé. Ainsi, en cas de grippe, nous éliminons généralement nous-mêmes le virus qui nous a cloués au lit.

Par contre, si nous sommes trop malades, c'est-à-dire en état de déséquilibre extrême, par exemple si nous sommes affectés par une grave pneumonie, nous devons recevoir de l'aide. Si les antibiotiques nous aident à détruire les bactéries causant l'infection, ils ne remplacent pas nos mécanismes de défense. C'est donc notre corps qui devra éventuellement recouvrer par lui-même la santé, lorsque les signes vitaux (pouls, respiration, pression, saturation d'oxygène, température, etc.) seront stabilisés et que l'infection sera jugulée.

Mon art consiste donc surtout à aider le malade en attendant qu'il se guérisse lui-même. Mais lorsqu'il est impossible de rétablir l'équilibre, il faut au moins soulager le patient, ce qui est, quand on y pense, une autre forme de retour à l'équilibre – celui de la perception. Il s'agit de convaincre les sens que le corps ne meurt pas, même quand plus rien n'est possible. Pour monsieur Robichaud, la morphine, administrée lorsque la baisse d'oxygène causera une souffrance trop intense, permettra d'éliminer le sentiment parfois terrible de la mort imminente. Mais comme ce narcotique puissant compromet également l'activité des centres respiratoires, il pourrait accélérer la spirale irréversible du choc, dans laquelle ce grand malade pulmonaire finira par s'engager.

La médecine ne peut éternellement nous éviter l'inévitable, parce que nous sommes à la merci de déséquilibres variés, parfois brutaux et dont l'effet est immédiat – un accident de voiture, par exemple –, mais le plus souvent insidieux, et conduisant plus lentement à la mort, comme la fibrose pulmonaire de monsieur Robichaud.

En regard de l'éternité, 96 ans, ce n'est rien, mais pour mon ancêtre William Traher, cette longévité a tout de même signifié 3,5 milliards de battements de cœur sans pauses de plus de quelques secondes, 600 millions de respirations sans étouffement, 35 000 cycles de sommeil-éveil et 105 000 repas mâchés et digérés. Et pendant la vaste majorité de ces 3,5 milliards de secondes, sa température corporelle aura été maintenue autour de 37 degrés, le pH intérieur pas très loin de 7,4, le gaz carbonique sanguin à environ 40 mm Hg, le niveau de saturation d'oxygène au-delà de 95 %, la tension artérielle à plus de 100 mm Hg, le pouls au-dessus de 50, le débit urinaire à au moins 33 cc par heure, le sodium autour de 140 mmol/L et la pression intraoculaire inférieure à 21 mm Hg – pour ne nommer qu'un tout petit nombre de ces équilibres essentiels au maintien de la vie et à l'intégrité des organes.

De manière encore plus impressionnante, malgré des milliards de milliards de divisions cellulaires consécutives à partir d'une cellule unique, appelée zygote, l'intégrité du code génétique de monsieur Traher a été préservée, de sorte qu'au moment de sa mort, son génome était à peu près identique à celui de la cellule unique résultant de la fusion initiale, 97 ans plus tôt, du spermatozoïde Traher et de l'ovule dont l'histoire n'a pas retenu le nom.

Afin de se perpétuer, chaque organisme vivant est en effet doté de l'étonnante capacité de transmettre les caractéristiques inscrites dans son ADN, formé d'un peu plus de 3 milliards de bases azotées, constituants élémentaires de ce système d'information codant le génome de chacune de ses cellules. Comme on estime qu'au moins 10 000 milliards de cellules composent le corps humain, on peut déduire que nous possédons plus de 30 000 milliards de milliards de bases permettant de coder l'information contenue dans l'ensemble de nos cellules[1].

On pourrait faire 3 millions de fois le tour de la Terre avec l'ADN d'un seul être humain. Et pour ceux qui aiment l'informatique, il faudrait 32 milliards de disques durs de 250 Go pour stocker autant d'information. Par ailleurs, l'ADN est si dense qu'il occupe un volume 1 000 milliards de fois moindre

---

1. Un généticien vous dirait qu'une faible proportion de cet immense génome est effectivement de l'information vraiment utile, alors que le reste sert de régulateur et probablement à d'autres fonctions mal comprises.

que nos meilleurs supports en silicium et fonctionne environ 10 000 fois plus rapidement. Pour contenir autant d'information que les cellules d'un seul être humain, il faudrait près de 300 000 mètres cubes de silicium, représentant une masse de plus de 600 millions de kilogrammes et consommant l'équivalent de 30 % de la production des barrages d'Hydro-Québec[2]. Comme quoi la nature n'a rien à envier aux ordinateurs.

La transmission sans faille d'une quantité d'information aussi vaste et complexe plusieurs dizaines de milliards de fois par jour dans notre propre corps constitue à mes yeux un phénomène d'une ampleur inimaginable. Mais ce qui fait toute sa beauté, c'est que ce mécanisme incroyablement sophistiqué, pratiquement parfait et d'une complexité inouïe, réussit à intégrer ses propres imperfections au cœur même de son fonctionnement, pour s'améliorer constamment – ce qu'on appelle aussi l'évolution. On sait que les divisions cellulaires produisent constamment des cellules génétiquement anormales. Bien souvent, ces mutations compromettent les processus biologiques et les cellules mutantes meurent d'elles-mêmes. Notre système de défense s'occupe d'éliminer celles qui survivent, parce qu'elles sont alors reconnues comme étrangères. Parfois, des cellules anormales se multiplient, au détriment du reste de l'organisme; on parle à ce moment-là d'un cancer.

---

2. Les calculs sont assez compliqués et exigent notamment une comparaison du mode binaire de stockage de l'information des ordinateurs avec celui à quatre bases de l'ADN. (Merci à Philippe Panzini pour son aide.)

Il arrive qu'une telle mutation – donc une erreur – confère au contraire à la cellule un léger avantage sur ses semblables. Si cette mutation favorable touche un gamète, cellule germinale qui permet la reproduction, la transmission de la caractéristique à la descendance se produira. L'organisme engendré porteur de la mutation pourrait alors, confronté aux menaces qui pullulent – chaleur, tempêtes, agresseurs ou famines –, se débrouiller un peu mieux que les autres, et ainsi avoir de meilleures chances de survie, de sorte qu'il pourrait transmettre plus facilement cette caractéristique avantageuse à ses propres descendants, ne serait-ce que parce qu'il vivra plus longtemps et aura donc plus de temps pour copuler, si c'est le mode de reproduction en vigueur – et c'est le nôtre, fort heureusement, car beaucoup d'organismes, telles nos cellules, se contentent d'une simple et peu réjouissante division. Les descendants qui bénéficient de cet avantage pourront ainsi devenir plus nombreux au sein de l'espèce et assurer, le cas échéant, son évolution. Il s'agit d'un processus plutôt hasardeux, dont la réussite requiert un nombre presque infini d'essais et d'erreurs. Il demeure qu'à très long terme, l'effet est saisissant. On n'a qu'à comparer une amibe commune à, disons, Angelina Jolie, pour prendre un exemple au hasard. On ne peut même pas imaginer le nombre de millions d'années d'évolution qu'il faut pour passer de la première à la deuxième.

C'est cette marche à petits pas qui a rendu possible la succession toujours plus complexe des formes de vies, à partir des éléments fondamentaux que furent les premiers acides aminés, jusqu'à l'être humain, gloire de la création, comme on dit, liée génétiquement à l'ensemble du monde vivant par cette grande chaîne à double hélice qu'est l'ADN.

Au-delà des individus, forme éphémère et localisée d'organisation du vivant, l'enjeu fondamental demeure la transmission du code génétique, sur lequel tout s'est constitué. La vie cherche en effet à se perpétuer, en tout cas se perpétue objectivement, qu'elle le cherche ou non. L'individu est le résultat bien tangible de cette transmission, mais c'est surtout un moyen utilisé pour perpétuer l'information génétique. D'ailleurs, une fois cette tâche accomplie (ou pas), il meurt à plus ou moins brève échéance et retourne à la grande soupe moléculaire, pour entretenir ce grand cycle des atomes qui transitent de temps en temps dans les organismes vivants de la biosphère. Il est d'ailleurs certain que vous avez, depuis votre naissance, mangé d'innombrables particules provenant de vos ancêtres directs, même si ce n'est pas ragoûtant.

À échelle humaine, l'organisation sociale, la connaissance, les valeurs, les conditions de vie, bref, la culture, permettent aux individus de mieux survivre. Pour notre espèce, ces avancées complexes ont permis des gains de longévité sidérants, sans lien direct avec une quelconque évolution génétique ; elles ont ainsi repoussé de manière étonnante l'âge du décès et contribué à l'expansion de la population humaine. Il faut toutefois admettre que ces déterminants sociaux, beaucoup plus efficaces pour allonger la vie que la médecine elle-même, ont été de tout temps et sont encore bien mal répartis sur la surface du globe et même à l'intérieur des entités territoriales que nous appelons les pays. Comme quoi la loi de la jungle continue à s'appliquer, même si notre but premier était d'en sortir.

La vie repose donc sur la transmission d'un bagage génétique opérée depuis la nuit des temps, dont nous sommes les passeurs, rapidement rattrapés, puis terrassés par la difficulté de maintenir au-delà de 80, 85 ou 90 ans, l'équilibre biologique à l'intérieur des frontières de notre propre corps. Quand les mécanismes compensateurs sont débordés, que les cellules mutantes progressent, que les défenses immunitaires s'effondrent, le niveau de désordre interne s'accroît, ayant tôt fait de menacer notre formidable organisation tissulaire, de détruire nos cellules, de dégrader nos protéines et de ramener nos acides aminés à l'état de composés élémentaires, qui seront finalement réintégrés dans le règne minéral par la mort.

Il arrive parfois, dans certaines civilisations, qu'un cadavre, ce reliquat individuel non transmissible, permette aussi à un étudiant en médecine d'apprendre un peu mieux à soigner et contribue, à une minuscule échelle, à rétablir l'équilibre biologique d'un futur malade comme monsieur Robichaud, menacé par sa fibrose pulmonaire. Tel fut le destin de mon ami Jim Fender, lui aussi atteint de fibrose, comme j'ai pu le constater *de visu*.

MON AMI JIM FENDER

Large d'épaules, très maigre, grand et plutôt sédentaire, mon ami Jim Fender paressait toute la journée, jusqu'à notre rencontre en 1982, une étape déterminante pour mon avenir et pour celui de mes futurs patients. Je n'avais jamais fait connaissance de manière aussi approfondie avec un être humain auparavant.

Jim n'est pas seul; comme lui, ses confrères aideront aussi les étudiants de ma classe de médecine à mieux comprendre le corps humain. Ils ont souffert de cancers, d'accidents vasculaires cérébraux, d'infarctus massifs ou de graves traumatismes, bref, de toute une panoplie de maladies terminales. On croise d'ex-fumeurs amaigris, comme Jim, dont les côtes percent presque la peau de la cage thoracique, et aussi des arthritiques difformes, des scoliotiques tourmentés et des diabétiques amputés. Et, assez tristement, des jeunes gens, apparemment en santé, qui ont peut-être souffert de dépression et posé un geste désespéré.

Comme des amoureux timides, nous redoutons la première rencontre. Il nous faut rester calme et, surtout, ne pas avoir la nausée – une question d'orgueil. J'ai préalablement gobé deux comprimés de Gravol, dose exagérée qui me laisse à moitié groggy. Quand nous entrons dans la salle commune, Jim et ses 50 amis nous accueillent dans un silence glacial, couchés sur autant de tables d'acier inoxydable. J'ai un mouvement de recul, mais assommé par le médicament, je n'ai aucune difficulté à conserver ma dignité.

La grimace plaquée sur le visage de Jim ne le quitte pas ; ses yeux entrouverts semblent observer le plafond avec intérêt ; ses lèvres tuméfiées laissent voir des dents terriblement gâtées ; sa cage thoracique surdimensionnée est typiquement celle d'un grand pulmonaire. Si ses mains délicates ont échappé à l'opprobre du temps, ses doigts jaunis, reposant sur la table avec une certaine élégance, témoignent de son lourd passé de fumeur.

Nous commençons par le thorax, facile d'accès, donnant avec un brin de nervosité nos premiers coups de scalpel, par un matin d'automne ensoleillé. Je suis à cette époque plutôt ignorant de l'univers cadavérique. De mémoire, le seul que j'aie déjà croisé, c'est Édouard Beaupré, mieux connu comme le Géant Beaupré, qui portait bien son surnom puisqu'il mesurait 8 pieds 3 pouces ; emporté en 1904 par la tuberculose, son corps a ensuite été l'objet de multiples recherches médicales. À 12 ans, explorant avec un copain les bâtiments universitaires, j'étais tombé sur sa terrifiante silhouette au détour d'un long couloir. Suspendu flambant nu dans une immense cage de verre, ce spécimen anatomique format géant avait terminé là sa carrière d'homme fort et de bête de cirque. Le cuir épais de sa peau, son visage déformé par un rictus affreux, ses yeux globuleux et ses cheveux ébouriffés ne le rendaient guère attirant. Aussi, après l'avoir dévisagé quelques minutes, nous avions pris la fuite au pas de course ; et il m'a longtemps poursuivi en rêve.

Sept ans plus tard et quatre étages plus bas, armé de scalpels, de ciseaux, de pics et de scies, je m'attaque donc à son confrère Jim, légué à cette science dont nous sommes les dignes représentants.

Longtemps interdite en raison de la sacralisation des dépouilles humaines dans la plupart des cultures, la pratique de la dissection reste nimbée d'une étrange aura, comme s'il s'agissait de profaner un sanctuaire. Au III\ :sup:e siècle av. J.-C., Ptolémée I\ :sup:er permettait en revanche la vivisection des condamnés à mort, pratique autrement plus barbare, ouvrant la porte aux travaux des Hérophile et Érasistrate, fondateurs de l'école de médecine d'Alexandrie ; 600 vivisections leur vaudront d'être considérés comme les pères de l'anatomie.

Plus tard, afin de contourner les règles du II\ :sup:e siècle apr. J.-C., qui interdisent toujours la dissection des cadavres humains, Galien procède aussi à des vivisections, mais sur nos cousins lointains que sont le porc et le singe, contribuant ainsi à introduire bien malgré lui un grand nombre d'erreurs dans la science de l'anatomie humaine.

En 1543, le médecin André Vésale, véritable fondateur de l'anatomie moderne, commence sa carrière en disséquant le corps de Karrer Jakob von Gebweiler, un meurtrier de Bâle, en Suisse, condamné à mort. Il corrigera au fil du temps plus de 200 erreurs de Galien et la plupart des étudiants en médecine suivront ensuite son exemple. Je conserve précieusement une photo des années 1910 où mon grand-père Hector Gaboury explore, tout sourire, les tissus d'un cadavre autrement plus momifié que Jim.

Sur les traces de ces précurseurs célèbres, nous disséquons méticuleusement, région par région, identifiant les nerfs, les muscles, les os, et les organes internes, nommant ce que nous pouvons reconnaître et prenant une abondance de notes. Certaines parties semblent presque toujours vivantes, comme le visage, surtout quand le retrait des paupières confère à nos cadavres un air halluciné. Les mains conservent cependant des traces d'humanité encore plus troublantes : larges ou délicates, déformées, serrées ou étalées, elles semblent toujours prêtes à l'action, pour prendre la vôtre pendant que vous disséquez, vous gratter le dos quand vous regardez ailleurs ou s'appuyer doucement sur votre épaule quand vous avez besoin de réconfort. Il faut se résoudre à explorer leur étonnante mécanique, ce miracle anatomique complémentaire à celui de notre cerveau, qui a permis à l'espèce de construire des outils, d'instrumentaliser la nature et d'édifier nos civilisations.

Même si peu d'entre nous admettent être troublés par ces sessions macabres, certains signes ne mentent pas. Un matin, alors que tout est calme et que nous terminons la dissection des mains, une des allonges métalliques sur lesquelles sont posés les bras cède, dans un grand fracas de métal qui nous fige sur place ; Jim, allégé par l'évidement, est emporté dans un mouvement rotatoire manquant de le projeter en bas de sa table. Les valeureux disciples de Vésale en ont des sueurs froides.

Le spectacle des patients cancéreux contribue peut-être au faible taux de tabagisme parmi mes confrères de classe : bourrés de métastases disséminées dans tous les tissus, ils paraissent remplis de morceaux de chou-fleur, ce qui lève le cœur, surtout quand il est l'heure de dîner. Les poumons de Jim Fender, denses comme une éponge, nous démontrent plutôt qu'il est mort de fibrose pulmonaire et que la cigarette n'a pas aidé sa cause.

Notre plus grand défi reste la tête, que nous abordons avec une appréhension certaine. Nous commençons l'exploration en retirant le scalp, puis en ouvrant horizontalement la boite crânienne, afin d'en étudier le délicat cerveau. Il faut ensuite opérer une coupe verticale pour explorer l'anatomie médiane, du front jusqu'à l'ancrage du cou, une manœuvre délicate.

La coupe devant être parfaitement centrale, il faut bien aligner la scie, tout en maintenant fermement la tête, pendant qu'on traverse les os, du crâne jusqu'au haut de la cage thoracique, prenant bien soin de faire passer le trait au milieu de la colonne cervicale. Notre équipe développe une technique novatrice : asseoir le cadavre et le tenir fermement par les épaules pendant que l'on scie verticalement la boîte crânienne. C'est efficace, mais plutôt lugubre. Jim acquiesce à cette séance de torture en oscillant la tête d'avant en arrière, tandis que progresse la coupe vers le bas et que les moitiés de tête retombent sur chacune des épaules ; notre pauvre ami affiche une moue étrange et un regard de plus en plus perplexe. Une fois la manœuvre réussie, nous le recouchons promptement, sa vue épouvantant nos voisins et sans doute un peu nous-mêmes, d'autant plus que le formol dégouline sur son torse.

Ma relation avec Jim Fender prend fin tout naturellement, quand il n'y a plus rien à découper. J'ai toutefois conservé un excellent souvenir de celui qui m'a permis de mieux comprendre l'anatomie de mes futurs patients. Durant la suite de ma formation, chaque fois que je devais palper des organes vivants ou les découper en salle de chirurgie, je pensais un peu à Jim, qui m'avait tellement marqué que je n'eus aucun problème à retenir pour longtemps le détail de sa leçon d'anatomie.

LE PARADOXE BIOLOGIQUE

À l'époque de mes lointains ancêtres, disons les Traher du Moyen Âge, l'espérance de vie à la naissance n'était que de 25 ans. Des siècles plus tard, quand les Gaboury de récente mouture occupèrent la scène, elle n'avait augmenté qu'à environ 40 ans, moins de la moitié de ce qu'elle est aujourd'hui, notamment parce que beaucoup d'enfants mouraient encore peu après la naissance ou étaient terrassés par ces graves infections qu'on ne pouvait ni traiter ni prévenir. Ce fut le cas de la majorité de ceux d'Ulric Gaboury, tout médecin qu'il fût. Il demeure qu'un être normalement constitué, placé dans des circonstances favorables, qui réussit à surmonter les conséquences des maladies, accidents et autres aléas de l'existence, peut aisément vivre en bonne santé jusqu'à plus de 85 ans.

Cette incroyable capacité de l'organisme à maintenir aussi longtemps en équilibre ses paramètres biologiques, tout en se complexifiant graduellement, est d'autant plus étonnante qu'elle s'oppose à une des lois les plus fondamentales de l'univers, le second principe de la thermodynamique, qui stipule que le niveau de désordre – qu'on appelle aussi l'entropie – s'accroît généralement de manière continue, ce qu'on pourrait résumer en disant que tout va de plus en plus mal dans le meilleur des mondes possibles.

Les mutations cancérigènes, les infections détruisant les tissus, les chutes qui causent des fractures, les déséquilibres cellulaires entraînant la démence, les belles-mères, etc., bref tout ce qui accroît le désordre biologique correspond à une augmentation de l'entropie, dont le vieillissement est d'une certaine manière la conséquence, ce qui entraînera ultimement la mort.

Il est surprenant que la vie se développe sur Terre, même si l'univers tend plutôt vers le désordre. La clé de l'énigme, c'est le Soleil. Ce n'est pas pour rien qu'Hélios était un dieu majeur pour les Grecs : cette source incroyable d'énergie est la condition *sine qua non* de notre présence ici, parce que l'énergie solaire alimente en continu notre Terre et permet ainsi à la vie de se jouer des lois de la thermodynamique.

Il faut dire que sur notre petite planète bleue sont réunies des conditions aussi rares qu'utiles, par exemple cette abondance d'eau en phase aqueuse, ces cycles d'évaporation et de condensation permettant d'engendrer les orages et la pluie, une température plutôt stable, la présence abondante de carbone et d'oxygène, ces terres émergentes au milieu des océans, le grand brassage côtier assuré par le phénomène des marées, l'alternance féconde du jour et de la nuit et surtout, une atmosphère captive nous offrant les gaz requis pour respirer, transporter les pollens et permettre le vol des insectes et des oiseaux, sans parler des avions et des bulles de savon. Et cette atmosphère extraordinaire, qui donne aussi sa couleur à la Terre, arrive même à nous protéger, en travaillant avec les champs magnétiques, contre le plus grand danger auquel serait autrement confronté la vie : le bombardement incessant des rayons solaires toxiques – ultraviolets, rayons X – et des astroparticules cosmiques – protons, hélium, électrons, nucléons – qui auraient compromis depuis longtemps l'intégrité de l'ADN par d'incessantes mutations.

L'évaporation des eaux et le déclenchement consécutif des orages et des éclairs ont permis au tout début d'atteindre les formidables niveaux d'énergie requis pour conduire à la complexification de la matière et à la création, dans ce magma de carbone, des premiers acides aminés, à la base des futures protéines. Produisant continuellement de l'oxygène à partir du gaz carbonique, les algues puis les plantes contribueront à l'expansion du règne animal, aboutissant à cet équilibre que nous menaçons aujourd'hui, malgré notre immense intelligence, issue de centaines de millions d'années de mutations favorables, comme quoi rien n'est parfait en ce bas monde.

Mais l'accroissement généralisé du désordre mènera notre système solaire, dans quelques dizaines de milliards d'années, à un refroidissement extrême. Notre Soleil deviendra d'abord une géante rouge qui brûlera la Terre ; épuisé par tant de travail, il se transformera ensuite en naine blanche, s'éteignant progressivement et produisant à terme à peine assez d'énergie pour éclairer vaguement ce qui restera de Mercure après sa cuisson.

Dans ce contexte déprimant, la vie est donc une surprenante, fragile et courageuse anomalie, perdue dans un univers voué à sa perte. Depuis des milliards d'années, elle remonte à contre-courant la rivière du désordre universel.

Parler de mes ancêtres ayant effleuré la mort – et de l'univers qui nous y conduit – me donne parfois l'impression d'avoir usurpé mon droit à la vie, même si je suis bien conscient qu'à tout moment, je peux moi aussi m'effondrer au sol, avec ou sans avertissement, comme un grand nombre de mes patients et plusieurs de mes contemporains, qui semblaient pourtant jusque-là en bonne santé, mais dont les signes vitaux ont soudain flanché, nous allons voir comment.

SIGNES VITAUX

NOËL BLUES

C'est un soir de Noël occupé. Le vent fait tourbillonner la neige derrière les fenêtres de la salle d'attente où les patients s'entassent. Certains dorment sur les sièges gris, d'autres bavardent, quelques-uns gémissent. Une fillette habillée en rose pleure dans un coin. Près de l'entrée, une femme éméchée engueule sa voisine à propos d'un rôti oublié. Soudain, la porte s'ouvre avec fracas, laissant entrer une bourrasque de neige et un homme corpulent, qui serre contre lui un jeune enfant bien emmitouflé.

— Hey, bonhomme, relaxe, c'est parce qu'il faut...

— Tasse-toi !

Il passe en trombe, traverse le triage, puis enfonce d'un coup d'épaule la porte menant au cœur de l'urgence. Nous y sommes, en train de remplir nos dossiers, quand il surgit derrière nous, haletant. Suzanne pousse un cri et Lyne renverse du café. Nous nous levons d'un bloc.

— Il respire pas ! Faites de quoi !

La couverture tombée dévoile un enfant mou comme une chiffe, inconscient et le visage bleu. Je bondis pour le saisir.

— Qu'est-ce qui s'est passé ?

— Je sais pas... Il toussait... On s'en venait vite... Pis dehors... Il pouvait plus parler...

Je l'écoute d'une seule oreille en courant vers la salle de choc, suivi par toute l'équipe.

— Johanne, tu vas t'occuper du père ?

Johanne se retourne vers l'homme :

— Venez par ici, monsieur.

— Mais je veux rester avec lui !

— Venez avec moi, ils vont le soigner.

— Non, je veux le voir ! Mathieu !

Elle retient son bras et l'entraîne vers le couloir à côté. Chacun prend place autour de l'enfant maintenant couché sur la civière. En pleine lumière, son visage bleu cobalt est paniquant. En dix secondes, le pyjama est découpé : les muscles de la poitrine mince se contractent en vain, parce que l'air ne rentre plus. C'est un corps étranger, une laryngite ou une épiglottite, je ne sais pas ; nous avons une minute pour agir. Je donne mes consignes :

— Appelez l'inhalo stat[1] ! Oxygène 100 % sur l'ambu. Une veine, vite. Gaz veineux. Et le moniteur.

Ça s'agite autour. Patsy branche l'oxygène, Louis – l'autre médecin de garde – se place à la tête de la civière, l'inhalothérapeute arrive à la course, puis ouvre d'un geste la trousse de réanimation pédiatrique, Lyne palpe le bras pour trouver une veine, Michel branche le moniteur cardiaque et crie :

— Le cœur est à 50 !

---

1. Terme consacré en médecine d'urgence, provenant du latin *statim* et signifiant : immédiatement.

C'est trop lent, l'arrêt cardiaque menace, un tel manque d'oxygène ne pardonne pas chez les enfants. Louis, après avoir ouvert la bouche, essaie de ventiler au masque, sans succès. C'est l'arrêt respiratoire complet! Nous nous regardons pendant un moment qui paraît une éternité.

— OK, go!

— On sort deux tubes, numéro cinq... et quatre.

Lyne introduit un gros cathéter dans le bras gauche.

— J'ai une veine!

— Donne-lui une atropine.

Pendant que Louis glisse une serviette sous les omoplates, l'inhalothérapeute termine la préparation des tubes. Je remplace Louis, prends le laryngoscope et en plonge la lame en acier dans la gorge de l'enfant. La lumière crue me montre des muqueuses bleuies par le manque d'oxygène. L'épiglotte est intacte. J'avance la lame, écartant les tissus. De côté, on peut voir le cou se gonfler sous cette poussée. Puis, le larynx m'apparaît, rouge et suintant, alors que les cordes vocales, pleines d'œdème, bloquent le passage.

— Une laryngite! Il y a de l'œdème... Je suis pas sûr que...

L'inhalothérapeute me tend le tube numéro cinq, Louis palpe le pouls et donne ses prescriptions.

— Le cœur est à 30, on perd le pouls. On masse! Adrénaline 0,2 mg!

Pendant que Lyne injecte l'adrénaline pour fouetter le cœur et que Michel commence à masser, je prends le tube numéro cinq et le pousse vers les cordes vocales.

— Ça bloque.

Rien n'y fait, les cordes empêchent le tube de passer. La mort se rapproche.

— Prépare le tube quatre. L'anesthésiste est là ? Sortez le kit de crico[2].

— On appelle l'anesthésiste !

Si on ne peut pas intuber, il faudra percer la gorge avec un cathéter pour brancher l'oxygène pur, une manœuvre que j'ai seulement pratiquée sur des animaux. Soudain, un fracas de métal ! Quelqu'un a fait tomber le défibrillateur qui percute le mur, mais personne n'y porte attention. Je remets le laryngoscope dans la gorge.

— Tube quatre !

— Tube quatre.

Conçu pour un bébé, il devrait traverser facilement.

— Tu vas passer, sacrament !

J'ai beau le tourner, le glisser, le replacer, le tube se coince dans les cordes. La sueur me coule dans le dos.

— Ça veut pas ! Prépare... un tube trois.

— Le cœur est à 20 !

— Avez-vous le kit de crico ?

— Je finis de le préparer.

— Le père veut venir le voir.

— Plus tard. Essaie, Louis.

Je m'écarte pour lui laisser la place. Il enfonce à son tour le laryngoscope dans la gorge.

— OK... Tube !

---

2. Matériel déjà assemblé servant à percer les voies aériennes au niveau du cou et insérer un cathéter pour assurer l'oxygénation en cas d'urgence.

—Tube trois.

Le tube que tend l'inhalothérapeute est minuscule, conçu pour un prématuré. S'il ne passe pas, je perce la gorge dans 30 secondes. J'attends, aiguille en main, l'enfant est grisâtre et tout le monde est sur les nerfs.

— L'anesthésiste est arrivé?

— Il est pas dans l'hôpital!

Louis peine à passer le tube trois. Son visage est tendu à l'extrême.

— C'est serré, aide-moi.

J'appuie sur le larynx avec deux doigts pour l'immobiliser.

— C'est mieux... Arrêtez de masser!

Le massage cardiaque est interrompu, Louis tourne le tube dans un sens, puis dans l'autre, comme pour visser. C'est le silence absolu, hormis ce «bip» du moniteur, de plus en plus lent. Soudain, discrètement, on perçoit un sifflement. Et Louis murmure:

— Je pense que je l'ai.

Sous mes doigts, je sens le tube traverser.

— Ça passe.

Le front baigné de sueur, Louis tient le tube salvateur, tandis que l'inhalothérapeute ajuste le ballonnet d'oxygène.

— Ça ventile.

— Vas-y doucement.

J'ausculte l'estomac: rien; les poumons: l'air entre bien; la cage thoracique recommence à s'élever et s'abaisser; la buée qui se forme dans le tube confirme que tout va bien et nous enlève dix tonnes des épaules. Alors s'opère un miracle: la fréquence cardiaque repasse au-dessus de 100 en moins d'une minute.

— On a un pouls!

Enfin, le visage de l'enfant change de couleur : sur le fond grisâtre apparaissent maintenant des ombres rosées, de plus en plus marquées. Au bout de 30 secondes, il respire par lui-même, bouge les bras et ouvre enfin les yeux. Lyne pousse un cri de joie et sort en courant pour aller retrouver le père. Mais l'enfant d'abord indifférent devient vite agité, même si Patsy essaie de le rassurer.

— Donnez-lui 2 mg de Versed. Pression ?

— 80 sur 50.

— On fixe le tube, je vais voir le père.

Grâce au sédatif, le jeune patient se calme. Je sors de la salle de choc, en nage. Le père est assis dans le couloir à côté, pâle et agité. Pendant que Lyne lui explique la situation, je m'assois en face et lui souris. Mon sourire ne peut avoir qu'une seule signification, que l'homme comprend immédiatement.

— Il... Il respire ?

— Oui, ça va mieux. Il se réveille, c'est bon signe.

— Est-ce qu'il... va être correct ?

— On ne peut pas le dire tout de suite, mais je pense que oui.

L'homme se plie en deux, le visage dans les mains, puis se met à pleurer bruyamment.

— Maintenant, vous allez venir le voir. Donnez-nous une minute et on vient vous chercher.

Retournant dans la salle de choc, je croise Louis qui se dirige vers une salle d'examen, où la femme saoule gesticule bruyamment, donne des coups de pied et crache au visage du personnel.

— Tu as réussi.

— On a réussi.

L'enfant est transféré quelques minutes plus tard à Sainte-Justine. Je ne le reverrai jamais.

Début janvier, je prends mon courrier avant de commencer mon dernier quart des Fêtes et je trouve, au milieu d'innombrables rapports de radiologie, une petite enveloppe, que j'ouvre :

« Mathieu est sorti de l'hôpital le 31 décembre, juste à temps pour fêter la nouvelle année. Il est de bonne humeur. Les pédiatres ont dit qu'il n'aurait pas de séquelles. Nous ne pourrons jamais assez remercier votre équipe. »

Une main d'enfant a ajouté MERCI et dessiné un bonhomme habillé en vert. Mais je ne vois plus les détails, ma vue s'est embrouillée.

MON CŒUR BAT LA CHAMADE

Mon cœur est une mitrailleuse. Le monde bascule et tout devient noir. Puis un choc violent à la poitrine me fait voir des étoiles. Mon front donne contre la portière de la voiture qui file à toute allure dans la rue Viau.

L'hôpital apparaît sur la droite. La lumière est rouge, mais nous fonçons, en klaxonnant. Les doigts serrés sur le volant, mon frère vire brusquement, puis monte sur la rampe, manque de renverser la grosse poubelle et stationne la voiture de travers. Il court jusqu'à ma portière qu'il ouvre d'un coup sec, m'aide à descendre, prend le fauteuil roulant que lui tend l'agent et me pousse à l'intérieur de l'urgence en hurlant: « Vite, il va pas bien! »

Il s'énerve, pas moi. Je connais la musique. Mon cœur est encore bon, il ne me lâchera pas. Pas tout de suite. Et voilà qu'il repart au galop. Tagadap tagadap tac-tac-tac-tac-tac...! Tout vire autour. Un autre choc? Le feu va encore me brûler les côtes. Maintenant! Non? Là! Non plus. L'infirmière m'aperçoit et accourt. Je tremble de partout.

— Qu'est-ce qui se passe?

— Ça bat vite.

— Quoi?

— Mon cœur.

— Depuis quand?

— Trente minutes. J'ai eu trois chocs.

— Vous avez un défibrillateur implanté?

De loin, l'urgentologue me reconnaît, il m'a soigné voilà deux semaines. À voir ses yeux inquiets, je comprends que j'ai l'air malade. Je lui souris, je suis toujours gêné de déranger. Il me regarde encore une seconde, puis fait un signe à l'infirmière. Son visage se tend, un effet de l'adrénaline; chez lui, c'est pour agir, chez moi, c'est pour survivre; la bête, nous allons l'affronter ensemble. L'équipe surgit de partout. On m'installe sur la civière de la salle de choc en me déshabillant d'un même mouvement. Il faut que je m'habitue à ces strip-teases instantanés. L'infirmière me fait une prise de sang et installe un soluté dans la foulée. Ça fait toujours un peu mal. Le médecin regarde mon tracé apparaître au moniteur cardiaque et donne son diagnostic:

— Il est en TV[1], ça roule à 165.

— Je veux pas un autre choc!

— On travaille là-dessus.

Toujours le même diagnostic. Et le même traitement: un maudit choc. Ça manque d'imagination. Le défibrillateur dans ma poitrine surveille tous mes battements de cœur depuis trois ans, prêt à déclencher. C'est comme avoir une ambulance à la maison et un paramédic dans mon lit. Chaque choc m'a sauvé la vie. Ça fait mal, mais ça vaut le coup.

---

1. Tachycardie ventriculaire, arythmie rare et potentiellement mortelle.

— C'était quand votre dernier repas?

— À six heures.

— C'était quoi?

— Du spaghetti.

— Avec des boulettes?

— Des grosses.

— Vous avez bien mâché?

— Je me suis même brossé les dents après.

L'urgentologue sourit, puis fronce les sourcils. Je sais, mieux vaut n'avoir rien mangé quand je fais de l'arythmie, au cas où ils m'endormiraient pour le choc; ça évite que je me vomisse dans les poumons. Mais je ne pouvais pas prévoir.

L'infirmière injecte les médicaments pendant que le résident barbu, dont j'oublie toujours le nom, branche son ordinateur au défibrillateur, pour tenter de convertir doucement l'arythmie. Il essaie, encore et encore. Ça ne fonctionne pas. L'urgentologue prépare une seringue avec du liquide blanc.

— Je veux pas de choc.

— Si on choque, on va vous endormir avant.

Je me sens faiblir. Je m'enfonce dans la civière, le plafond s'éloigne et la silhouette du médecin s'étire. Tout devient flou et sombre autour. Ils ont baissé les lumières ou bien mon cerveau fait des siennes?

— Donnez-lui un autre bolus de salin[2].

L'infirmière ajoute un second soluté sous pression. Je me sens mieux, pourtant l'arythmie continue. Sur le moniteur cardiaque, le chiffre rouge monte jusqu'à 200 et clignote. Ça ne tiendra pas.

---

2. Soluté physiologique infusé au patient pour augmenter sa pression artérielle.

L'infirmière augmente l'antiarythmique. Je me sens mal, mais je souris quand même, parce qu'il faut garder le moral. Mon cœur continue à battre la chamade. Le flou augmente, puis tout est noir et je tombe dans un grand puits. Je ne les vois plus, mais je les entends encore de loin, à la surface des choses.

— On va donner un choc.

— Je ne...

— Pense à la mer.

Je ne suis jamais allé dans le Sud. Ça me brûle dans le bras, l'urgentologue m'a injecté le liquide pour dormir. Il me dit de compter.

— Un... de... tro...

— Continue...

— Un... Unnnnnn... Ussshh...

Ma mère nage tout près de moi, dans notre piscine hors terre.

— Claude, tu nages?

Je ne sais pas nager, je me laisse couler, ma mère devient floue.

— Claude, tu...?

Je dors au fond de l'eau, je suis aussi grand que la piscine.

— Claude...?

Des mains me tirent vers le haut.

— Claude...?

J'ouvre les yeux. Quatre-vingt-trois. Un docteur. C'est qui? Déjà rencontré. Ah oui, l'urgentologue. Non, pas de choc!

— Claude?

— Je veux pas...

— De choc? C'est déjà fait, l'arythmie est partie.

— Vrai ?

— Je ne mens jamais.

— J'ai rien senti.

— C'est aussi ce que j'avais dit.

— Vous n'êtes pas venu ?

— Où ?

— À la mer ?

— J'avais oublié mon maillot.

Je souris et je me tourne vers le résident barbu.

— Approche.

Le résident se penche. Il ne sent pas bon.

— Oui, vous voulez...

— Plus près.

Le résident est tout près. Je lui prends le cou, le serre contre moi et lui donne un bec sur la joue.

— Merci. J'ai rien senti.

Quelque chose m'embête, cependant.

— J'ai pas bien compté, hein ?

— Pas si mal, dans le contexte.

L'urgentologue me fait un clin d'œil et sort de la salle de choc.

Je ne comprends pas tout, mais mon frère dit que du haut de mes 15 ans, j'ai déjà beaucoup vécu.

LE MIRACULÉ DE SIMONE

J'appelle madame Dupras. Je l'aperçois qui som-
nole sur un siège de la salle d'attente. Son mari la
réveille.

— Viens, Simone, il nous appelle, le docteur.

Il se lève d'abord. L'homme est costaud, avec
des mains larges, et il est encore solide sur ses
jambes. Il se tourne vers sa femme et lui tend le
bras.

— Viens, le docteur va te voir.

Elle ne semble pas comprendre, saisit tout de
même le bras, se lève péniblement, puis prend une
pause afin de retrouver son souffle. Le vieil homme
marche lentement, elle le suit docilement.

— Bonjour, docteur... Viens, Simone, on va
s'asseoir dans le bureau du docteur.

Je m'écarte pour les laisser passer. Elle paraît
mal en point, tousse et râle ; ses jambes sont très
enflées ; son équilibre est précaire. Après avoir
refermé la porte, je m'assois près d'eux.

— Bonjour madame.

— C'est le docteur, Simone.

— Oui, bien... C'est ça, bonjour.

De sa voix faible, elle rit un peu.

— Qu'est-ce que je peux faire pour vous ?

— Je sais pas.

Les secondes passent.

— Excusez, c'est ses problèmes de mémoire.

— Pouvez-vous m'expliquer?

— C'est sa respiration, des jours que ça dure. Elle est pas capable d'avancer, ses jambes sont trop enflées. Son docteur a augmenté ses pilules pour l'eau, mais ça donne rien.

— Vous sentez-vous essoufflée, madame Dupras?

— Oui, c'est ça.

— Et vos jambes?

— J'ai mal aux jambes.

La patiente a le cœur fatigué, conséquence de deux infarctus. Elle a été hospitalisée trois fois cette année. Le dossier mentionne aussi les évaluations par le travailleur social. Son mari prend tout en charge, mais il se fait vieux. Trois ans plus tôt, il a été très malade et Simone a dû passer des mois à l'hôpital.

Je pose encore quelques questions, puis j'examine la dame. Ses jambes sont froides et gorgées d'eau, avec des rougeurs et de petites cloches de liquide. Ses poumons laissent entendre les crépitements de l'œdème pulmonaire, tandis que son cœur, en arythmie, bat trop rapidement. Il faut l'hospitaliser de nouveau.

— Ça ne va pas bien. Son cœur a de la difficulté à pomper. Est-ce qu'elle prend bien ses médicaments?

— Oui, c'est moi qui m'en occupe. Par contre, c'est plus difficile avec l'eau.

— C'est-à-dire?

— Elle en boit en cachette. Faut que je la chicane, des fois.

Il ne doit pas la chicaner bien fort.

— Ça fait longtemps que vous êtes ensemble?

— Soixante-trois ans, le mois dernier.

— Des enfants?

— Ça n'a pas marché.

Son visage s'assombrit un moment.

— Et vous, comment ça va?

— Je me débrouille.

— La santé est bonne?

— Maintenant, oui.

— Ça n'a pas toujours été le cas?

— Ils m'ont dit que j'étais un miraculé.

— Est-ce qu'ils vont me garder, Jacques?

— Oui, mais pas longtemps, et je vais venir te voir.

Ce couple est vraiment touchant.

— Quel genre de miraculé?

— Un anévrisme, qu'ils m'ont dit, il y a trois ans. Ils m'ont pris juste à temps.

— Ils vous ont opéré? À quel hôpital?

Je rédige le dossier médical tout en conversant.

— Comme vous faites pas ça ici, ils m'ont transféré à l'hôpital Maisonneuve.

Je lève les yeux.

— Vous êtes venu à l'urgence, ici?

— C'est ce qu'ils m'ont raconté. J'en ai perdu des bouts.

— Excusez, c'est quoi votre nom, si je peux...?

— Jacques Leduc.

Je vérifie dans l'ordinateur. Trois patients portent ce nom.

— Et votre année de naissance, c'est... ?

— 1930.

J'ai le dossier devant les yeux. Aucune note médicale, c'est curieux. Pourtant... J'ai un pincement au cœur : je le reconnais.

— L'opération, pour votre anévrisme.

— Ils m'ont dit que j'ai été chanceux.

C'est vrai qu'un anévrisme de l'aorte abdominale rompu, à 80 ans, c'est habituellement mortel.

— C'était moi.

— C'était vous quoi ?

— Quand vous êtes venu ici, il y a trois ans. On a fait l'échographie, puis on est parti ensemble en ambulance à Maisonneuve.

Il me regarde avec émotion et ne trouve pas ses mots.

— Je me rappelle, vous aviez pas l'air aussi en forme.

— Merci, pour elle surtout.

*
* *

Mon souvenir est précis. Ce soir-là, les paramédics étaient entrés dans l'urgence avec un vieil homme souffrant. J'étais debout près du poste.

— Bonsoir, docteur, c'est un homme de 80 ans, appel pour syncope, douleur 10 sur 10 actuellement et...

Le vieil homme était livide et somnolent.

— Il a mal où ?

— Au ventre.

— Sa pression, c'est quoi ?

— 60 sur 40.

— Salle de choc.

Infirmières et préposés nous ont emboîté le pas. Sous l'éclairage cru, l'homme avait un teint blafard.

— On ouvre trois veines avec des gros calibres, salin flush ! Vous avez mal où ?

— Au bas du ventre.

L'équipe s'activait. J'ai mis la main sur le ventre gonflé. Une grosse masse pulsatile à droite.

— Un anévrisme. On pousse quatre culots de sang O négatif.

— On le met sur votre civière ?

— Non. On appelle l'urgento de Maisonneuve, on s'en va là-bas.

— Faut demander un autre véhicule parce qu'on...

— Pas le temps, on repart avec vous.

— Je vais aviser la centrale.

L'homme gémissait faiblement.

— La machine d'écho en stat. Oxygène 100 %, solutés flush, le sang ?

— La banque de sang veut le formulaire.

— Pas le temps, le sang maintenant !

Le résident de cardio est arrivé en courant, avec sa machine d'échographie.

— C'est quoi ?

— Anévrisme rompu probable.

— Je peux regarder.

À l'époque, nous n'avions pas encore d'appareil échographique à l'urgence.

— J'ai l'urgento de Maisonneuve sur le 413 !

J'ai décroché le téléphone.

— Salut, ça va ?

— Un cas pour vous, 80 ans, choc, et...

Le résident a placé la sonde échographique sur le ventre et une boule de neuf centimètres est apparue, menaçante comme une bombe à retardement.

— ... un anévrisme confirmé par écho.

— Pas sûr que...

— Je pars avec l'ambulance et je suis là dans cinq minutes.

— Je... J'avise la chirurgie.

Le patient avait repris un peu de couleurs.

— Bon, monsieur Leduc, vous avez un anévrisme dans le ventre et il est en train d'éclater.

— Un quoi... Il fait quoi ?

— Un anévrisme. C'est l'aorte, le gros vaisseau. Il faut réparer ça, sinon vous passerez pas la veillée.

— Vous allez m'opérer ?

— Pas ici, à Maisonneuve.

— Je pourrai pas y aller.

— On s'en occupe.

Tout s'est passé très vite : l'oxygène a été rebranché à la bonbonne des paramédics, le moniteur cardiaque, transféré, les quatre sacs de sang, accrochés aux poteaux de la civière. Une fois dans l'ambulance, nous sommes partis en trombe, toutes lumières et sirènes allumées. Maisonneuve n'est qu'à deux minutes. Quand nous sommes arrivés, l'équipe nous attendait déjà dans la salle de choc. L'urgentologue était là, un copain.

— Vous avez le scan ?

— Pas eu le temps. Jette un coup d'œil.

Je lui ai donné la seule image, un peu floue, de l'échographie. Il s'est retourné vers la commis :

— Rappelez la vasculaire.

— Docteur, j'ai le résident sur la ligne.

— Oui ? OK, le patient avec l'anévrisme, il est là... Pression limite... 80 ans... Comment ? Vous êtes pas certains de l'opérer ? Trop vieux ?

L'urgentologue fronçait les sourcils.

— Mais si on fait rien... Non... Il faut essayer... Il est en forme... OK, on le prépare !

Il s'est retourné.

— On monte en salle, ils nous attendent.

Nous avons ramassé nos appareils et sommes repartis vers l'Institut de cardiologie. À mon retour, j'ai soufflé un peu. Puis, j'ai pris le dossier suivant. Une dame à la pression un peu élevée et de l'anxiété.

*
* *

J'observe depuis un moment monsieur Leduc.

— Je suis content de vous revoir. Je savais pas ce qui vous était arrivé.

— Ben, moi aussi.

— Mais là, on va s'occuper de votre femme.

— J'espère qu'elle va mieux respirer.

— Je vous le promets.

— Merci.

— Alors, bonne nuit, monsieur Leduc. Prenez soin de vous.

— Est-ce qu'ils vont me garder, Jacques ?

— Oui, mais je vais venir te voir.

Je serre la main vigoureuse et vais porter le dossier à l'assistante, avec mes prescriptions. Ensuite, je prends le téléphone, pour dicter la note oubliée... il y a trois ans.

« Note tardive. Très tardive, même. Dossier 982039, Jacques Leduc. Homme de 80 ans, arrivé en ambulance avec une douleur abdominale aiguë. La pression à l'arrivée... »

IL NE SE PASSE PLUS RIEN

Deux nouveaux patients sont arrivés en ambulance, tout de suite après la fin de la partie de hockey. Un homme ayant mal au dos, à cause d'une
mauvaise chute. Et un autre, un peu plus jeune,
qui se plaint de douleurs dans la poitrine. Je commence par lui, il semble très souffrant.

Le médecin arrive, enfin.

— Ça fait mal en maudit, j'ai jamais eu ça de
même.

— Vous avez une belle chemise, vous. Alors,
qu'est-ce qui ne va pas?

— Ça fait deux heures que ça serre, j'ai de la
misère à respirer.

— Vous avez déjà eu ça?

— Jamais. Est-ce que je peux... Qu'est-ce...

L'arythmie vient d'apparaître sur le moniteur
cardiaque. Je jette un coup d'œil à l'électro, réalisé
quelques minutes plus tôt dans l'ambulance: pas
de doute, il y a aussi infarctus.

*Le docteur n'écoute plus, il a la bouche ouverte, il
fixe quelque chose à ma gauche et... Il disparaît... L'urgence disparaît... Le monde...*

Il ne complète pas sa phrase:

— Ssss... blllllll... pffff... Dglllh.

Rien qu'on puisse écrire dans un livre d'histoire. Il ne s'est même pas rendu jusqu'au point d'interrogation. Ça se termine dans un soupir.

Noir.

C'est toujours impressionnant, une tachycardie ventriculaire qui démarre sous vos yeux. Quand l'arythmie apparaît, le cœur va déjà trop vite pour pomper correctement, alors la pression chute, les yeux roulent dans leurs orbites, la tête retombe sur le côté et le malade commence parfois à ronfler. C'est que le cerveau s'éteint presque tout de suite : il ne se passe plus rien. Mais les autres organes encaissent mieux le choc, comme les follicules pileux, par exemple ; ils sont vaillants, les cheveux continuent de pousser pendant deux à trois jours après le décès, ce qui dans mon cas ne manquera pas d'ironie.

Bon, un choc rapide peut sortir mon patient de là. Je lance le code bleu et deux infirmières arrivent à la course. On transfère mon patient en salle de choc ; on découpe sa belle chemise mauve, sacrifice requis ; on expose le thorax ; on applique les électrodes ; on donne un choc de 200 joules qui bande ses muscles et le fait crier – expulsion de l'air de sa cage thoracique tétanisée ou reliquat de conscience, peu importe, il va tout oublier. Mais l'arythmie persiste. On recharge : 360 joules. Choc ! Nouveau cri ! Une vague odeur de cochon brûlé s'élève. L'arythmie cesse et le rythme normal est de retour. Le pouls revient dans les 15 secondes. Mon patient se réveille.

Je ne suis pas en train d'écouter le hockey. Pourquoi tout ce monde autour ? La douleur est encore là,

moins forte. Je me souviens, les palpitations, ma res-
piration. Il ne se passait plus rien. Il se passe à nou-
veau quelque chose.

Il me regarde avec un air effaré, comme s'il venait de sortir d'un long sommeil. Il est pourtant parti pendant moins d'une minute. Je donne mes prescriptions.

Est-ce qu'ils ont fait cuire du bacon? Ça sent drôle.

Nous injectons l'antiarythmique pour empê- cher la récidive et préparons le transfert urgent en laboratoire d'hémodynamique, afin de débloquer l'artère qui a causé ces problèmes.

— Doc, vous avez pas vu ma chemise?

— Va falloir faire de la couture.

— Qu'est-ce que j'ai?

— Un infarctus. Un blocage sur une artère de votre cœur. On va aller voir ça en salle d'hémodynamique.

— Ça va faire mal?

— Dans 20 minutes, vous aurez plus mal. En attendant, je vous fais donner un peu de morphine.

Il me dit avec un clin d'œil que je suis un ressus- cité. C'est un pince-sans-rire, ce doc-là.

Ils sont prêts, en hémodynamique. Mon patient est stable, il est temps d'aller ouvrir cette artère. Tout cela n'a pas duré cinq minutes. Mais ça fait tout de même une vie de sauvée.

Il me semble que... Holà! Ma civière se met à rouler à reculons. Quand je pense que j'ai le mal des transports. Je n'ai même pas eu le temps de dire au revoir aux infirmières.

J'écris mon dossier pendant que le résident accompagne le patient, qui disparaît en vitesse dans le couloir.

Et ma chemise?

Ma mort ressemblera sans doute à ça. Il ne se passera plus rien.

L'HABIT NE FAIT PAS
L'URGENTOLOGUE

J'arrive devant l'entrée principale de l'hôpital à midi pile, la nuque chauffée par un soleil radieux. J'en profite un moment, avant de plonger dans le tumulte de l'urgence. Des employés assis sur le gazon brûlé ouvrent leur boîte à lunch; une patiente en jaquette bleue, appuyée sur sa tige de soluté, termine une cigarette avec délice; sur la rampe d'accès descend un vieil homme chétif, poussant sa marchette; une collègue m'envoie un sourire en s'éloignant.

Soudain, la sirène aiguë d'une ambulance interrompt ma rêverie. Un infarctus, peut-être? Le vrombissement du moteur poussé à fond s'amplifie. Un arrêt cardiaque? L'instant d'après, la grosse boîte jaune surgit au coin, fonce à vive allure, vire à l'intersection, puis négocie le dernier virage et grimpe jusqu'à moi. Elle recule jusque devant l'entrée.

Je m'approche et j'ouvre la porte arrière d'un geste sec. Le patient cligne des yeux à cause de la lumière. Respirant rapidement, il a le teint pâle et semble avoir la nausée. La femme abondamment

maquillée qui l'accompagne se retourne en sur-
sautant, sans doute encore secouée par la chevau-
chée endiablée. Mon regard revient sur l'homme.

— Bonjour, ça va?

— Moyen, comme on dit...

Un peu de sueur perle à son front. Sur l'écran
du moniteur cardiaque, j'observe le tracé d'un
rythme rapide. J'interroge du regard le paramédic.

— Homme de 54 ans, arythmie depuis une
heure, pression artérielle basse, il a failli perdre
connaissance.

— C'est combien, la pression?

— Dernière à 90 sur 48.

— Pas si mal. Pas d'infarctus?

— Non, mais regardez l'électro.

Je prends le papier rose: une arythmie cardiaque, qu'on appelle flutter auriculaire, roulant à
150 à la minute. C'est fréquent et pas très grave.

— Avez-vous mal dans la poitrine?

— Juste comme... un peu de lourdeur.

— Je m'occupe de vous dans une minute.

Les paramédics rebranchent l'oxygène, arri-
ment le moniteur à la civière et poussent le patient
jusqu'à la salle de choc. Je les accompagne, croisant
au passage mon collègue Georges, aux prises avec
un autre patient instable. La femme suit en trotti-
nant. Je lui suggère de s'asseoir dans la salle d'attente, puis j'entre derrière les paramédics et tire le
rideau derrière nous.

La salle de choc: le cœur de l'urgence; mon
bureau de travail. Un des endroits où j'aime le mieux
me retrouver, surtout lorsqu'il y a de l'action. L'urgentologue y plonge dans un état second, bulle

mentale où tout devient clair, ce qui permet d'agir efficacement pour réorganiser le désordre biologique.

Pendant le transfert sur une civière d'hôpital, l'équipe s'affaire déjà, une chorégraphie réglée à la seconde près : déshabillage, oxygène, ponction veineuse, soluté, branchement au moniteur central, etc. J'en profite pour obtenir plus d'informations du patient. Habituellement en bonne santé, il a senti son cœur s'emballer subitement, puis a failli perdre connaissance. Il n'a cependant éprouvé aucun signe avant-coureur ni douleur à la poitrine et n'a jamais eu de symptômes semblables.

Le tensiomètre automatisé me rassure en affichant une nouvelle pression, prise à 117 sur 60. Le cœur roule pourtant toujours à vive allure. Je saisis un stéthoscope, ausculte sommairement, complète l'examen physique et fais préparer l'antiarythmique. Puis, je sors de la salle et croise à nouveau le regard inquiet de la femme, qui attendait tout près.

— Est-ce que je peux venir le voir ?

— Bien sûr, venez avec moi.

— Qu'est-ce qu'il a ? Une crise de cœur ? Il va pas mourir ?

— Non, c'est juste une arythmie, un genre de... de problème électrique. On va régler ça.

La femme hésite.

— Vous préférez attendre ?

— Vous êtes qui, vous ?

— Excusez, je suis le docteur Vadeboncoeur.

Paraissant peu rassurée, elle ne serre pas ma main tendue et passe nerveusement devant moi ; elle va rejoindre l'homme, qu'elle embrasse maladroitement. Je n'entends pas ce qu'elle lui chuchote à l'oreille en ne me quittant pas des yeux. L'anti-arythmique préparé, je lui propose de retourner dans la salle d'attente ; mais elle reste sur place ; j'ajoute, pour tenter de la réconforter :

— Tout va bien se passer, il n'y a pas de crainte.

Elle sort finalement, presque à reculons. J'attire l'attention de l'infirmière qui pose la perfusion.

— Me semble qu'elle me regardait bizarre.

— Tu trouves ?

— Il y a quelque chose qui ne va pas ?

— Il serait peut-être temps que t'enlèves ton casque puis tes gants ?

— Ah ça, oui... C'est sûr !

Je m'éloigne d'un pas rapide, accompagné par le cliquetis de mes souliers de vélo.

— Je reviens tout de suite ! Avertissez-moi si la pression baisse !

LA STAR ET LAZARE

Dans un centre commercial, l'homme de 60 ans a senti un malaise dans sa poitrine. Subitement couvert de sueur, il a pâli, puis quelqu'un l'a vu tomber, inconscient. Les ambulanciers[1] sont arrivés rapidement, ont constaté l'arrêt cardiaque et commencé le massage et la ventilation par masque, et ont amené le patient à l'urgence.

L'urgentologue Gilles Papineau dirige maintenant la réanimation. Tout se passe exactement comme il le souhaite. Il constate d'abord la fibrillation ventriculaire fine, phase tardive d'une arythmie mortelle, pendant laquelle le cœur frétille sans faire circuler de sang. Il donne prestement le choc électrique approprié, sans succès: la ligne irrégulière devient parfaitement horizontale. Il demande ensuite qu'on injecte l'adrénaline, supervise le massage cardiaque, intube la trachée du premier coup et pose en quelques secondes un cathéter

---

1. À cette époque, ceux que l'on appelle aujourd'hui « paramédics » étaient plutôt des « ambulanciers », notamment parce qu'ils ne pouvaient donner que les soins de base: pas de choc, pas de médicaments, pas d'intubation. En conséquence, les patients survivaient rarement aux arrêts cardiaques.

dans la veine jugulaire interne[2]. Il faut savoir que le docteur Papineau agit et prescrit toujours avec efficacité. Il est au sommet de son art.

Après les 30 minutes usuelles de réanimation, le cœur n'a pas recommencé à battre, ce qui est malheureusement dans les normes. L'urgentologue prescrit l'arrêt des manœuvres, constate le décès – en l'absence de toute activité cardiaque ou respiratoire et de toute réaction aux stimuli douloureux –, puis il en note l'heure avec précision. Il remercie enfin, très professionnellement, les infirmières, les préposés, les inhalothérapeutes et l'autre médecin – même s'il ne lui a pas laissé beaucoup de place et qu'il a encore oublié son nom.

Tout a été exécuté selon les règles de l'art, comme d'habitude. Si ça ne fonctionne pas, c'est simplement parce que ces interventions sont venues trop tard pour être vraiment efficaces et qu'il aurait fallu les réaliser à domicile[3]. Mais le docteur Papineau

---

2. Veine du cou qui constitue une voie d'accès facile pour installer de gros cathéters. Le docteur Papineau en installe toujours à ses patients en arrêt, parce qu'il pense que c'est utile, mais aussi parce que c'est bon pour son égo, qu'il a d'ailleurs plutôt développé.

3. C'est aujourd'hui la norme, nos paramédics étant maintenant équipés de défibrillateurs pour réanimer les patients en arrêt cardiaque. J'ai d'ailleurs participé en Montérégie, comme médecin, aux premiers projets visant à introduire ces traitements dans le préhospitalier québécois. Ce ne fut pas une mince tâche, puisque les résistances médicales, et même infirmières, étaient encore fortes à l'époque, et qu'il fallait financer nous-mêmes l'achat des appareils, avec des soupers-spaghettis, par exemple. Ces pratiques ont depuis sauvé des milliers de vies.

demeure satisfait d'avoir accompli toutes ses tâches avec sa précision habituelle.

Vous l'aurez compris, le docteur Papineau est une star, dont l'auréole déborde d'ailleurs les murs de l'hôpital, puisqu'il prodigue des cours avancés dans les hôpitaux de la région et les meilleurs congrès, que les jeunes urgentologues écoutent, les yeux brillants, à la fois stimulés par ses propos et persuadés au fond d'eux-mêmes qu'ils n'arriveront jamais à l'égaler.

Il s'en trouve certains pour penser qu'il a la tête enflée, pourtant personne n'oserait le lui dire. D'une part, parce qu'il a plutôt mauvais caractère ; d'autre part, parce que c'est un excellent médecin, que chacun choisirait pour lui-même en cas d'urgence – un accident est si vite arrivé et le risque est grand, dans cette petite ville où il n'y a qu'un seul hôpital, de se retrouver sous ses soins ; rester en bons termes avec lui est donc une mesure de prévention utile.

Ayant bien travaillé, le docteur Papineau sort de la salle, s'éponge le front, ayant la sudation facile, puis rédige sa note médicale accoudé au comptoir central. Il travaille comme ça, debout, parce que ça permet de garder la forme et que c'est plus efficace pour passer d'un patient à l'autre.

Quelques minutes plus tard, Claudine s'approche. C'est une infirmière compétente et douée, mais le docteur Papineau n'aime pas son attitude. Il soupçonne qu'elle lui manque parfois de respect.

— Oui, qu'est-ce qu'il y a Claudine ?

— Ton patient, tu sais, que t'as constaté...

— Oui, quoi ?

— Ben là, il est pu mort.

— Hein?

L'urgentologue retourne en vitesse en salle de réanimation et regarde l'écran du moniteur cardiaque: un rythme! Il prend le pouls: il est facilement palpable. Le cœur du patient décédé bat maintenant vite et sans arythmie, si fort qu'on le voit bondir dans le thorax sous la cage thoracique.

— OK, alors, on reprend, les filles.

Il commande à nouveau les traitements appropriés, cette fois avec une certaine hésitation dans la voix. Au bout de cinq minutes, le patient fait un nouvel arrêt cardiaque et la réanimation s'avère, en fin de compte, un échec.

Le docteur Papineau constate le décès une deuxième fois, ce qui est inhabituel. Il est d'ailleurs un peu embarrassé de rayer l'heure précédemment inscrite. Puis il reste à l'intérieur de la salle une dizaine de minutes de plus.

Quand il en sort finalement, avec dignité, Claudine l'observe de loin, un sourire narquois aux lèvres. Son étoile a pâli.

HYPOCONDRIES

« J'AI PEUR QUE JE MEURE »

Un samedi soir à l'urgence, le Canadien joue contre Boston, la soirée est donc plutôt tranquille. Une femme à peine sortie de l'adolescence consulte pour des palpitations. Je l'évalue rapidement, puisqu'il n'y a pas d'autre patient. Son ami reste dans la salle d'attente pour écouter le match.

Ma patiente est en bonne santé, ne prend aucun médicament et n'a pas de maladie connue. Ses traits tendus, ses lèvres tremblantes et ses yeux hyper-mobiles trahissent toutefois une certaine détresse. De plus, elle a mal dormi, parce que son cœur donne des coups de temps en temps. Je l'écoute attentivement.

Les mots sont la matière première du médecin d'urgence. Mon métier est d'en retrouver le sens caché, pour porter un diagnostic, bien entendu, mais c'est aussi une sorte de poésie brute, pas banale, que j'aime entendre et méditer.

La jeune femme n'a pas d'autre symptôme, aucune douleur, pas d'essoufflement ni de perte de connaissance. Juste des coups au cœur, brefs et rarement répétés. Puis, de temps en temps, comme une petite pause ; elle prend une grande inspiration et tout se replace. Mais elle n'en peut plus.

Ce tableau est limpide, il s'agit d'extrasystoles, un phénomène courant. La systole étant la contraction normale du cœur ; l'extrasystole, c'est simplement une systole de plus. Je lui explique le mécanisme : chacune des milliards de cellules cardiaques peut envoyer un signal électrique imprévu ; le muscle d'environ 250 grammes propage l'impulsion par son réseau électrique spécialisé, obligeant une contraction supplémentaire, d'où ce coup dans la poitrine, souvent désagréable, mais parfaitement bénin.

— Des systoles ? C'est comme un hoquet du cœur ?

— Oui, quelque chose comme ça.

La jeune femme rit, sans être vraiment rassurée. Je l'examine consciencieusement. La thyroïde, le cœur, les poumons, l'abdomen, les jambes, tout est normal. Mais après un moment, ses lèvres tremblent de nouveau. C'est que je n'ai pas encore posé la question centrale, la clef de voûte :

— Dites-moi, de quoi vous avez peur, exactement ?

— J'ai peur que...

Elle s'interrompt, puis se met à sangloter.

— J'ai peur que je meure.

Elle pleure franchement, tout en s'efforçant de sourire. Je lui tends un mouchoir.

— Je m'excuse. C'est juste que...

— Vous n'avez pas à vous excuser.

C'est souvent comme ça. On vient à l'urgence pour des palpitations ou un autre symptôme un peu banal, mais on éprouve au fond une angoisse fondamentale : que le cœur ne reparte pas, qu'il interrompe là son fabuleux travail. C'est l'angoisse de la mort.

Pourtant la mort n'arrivera pas – du moins, pas tout de suite. Sauf que la peur est réelle, se répand jusqu'au bout de ses ongles et bouleverse depuis des jours la jeune femme. À chaque palpitation, elle se voit mourir dans la seconde suivante, une dizaine de fois par nuit.

Si les larmes jaillissent, c'est parce que cette peur a été nommée et que la tension retombe. Comprenant mieux ce qui l'a poussée à venir consulter, je peux la rassurer. Je lui explique que l'extrasystole ne mène pas à l'arrêt cardiaque, que ces palpitations dérangent, mais ne sont pas dangereuses et encore moins mortelles. Puis, j'essaie un peu de comprendre ce qui ne va pas, au-delà des symptômes. Généralement, on trouve les mêmes causes : stress, manque de sommeil, pression au travail, problèmes financiers, enfants difficiles ou ruptures amoureuses ; la vie, quoi. Je finis par comprendre que sa patronne la presse comme un citron et qu'il ne lui reste plus de jus. Je n'ai pas de solution magique, néanmoins je vais lui donner quelques jours de congé.

— Si ça arrive encore, allez prendre une marche. Quand le cœur accélère, les cellules excitées se calment un peu. Peut-être aussi que votre médecin pourrait vous recommander à quelqu'un, un psychologue par exemple.

Elle se lève, me remercie, essuie ses larmes. Elle hésite un moment avant d'ouvrir la porte.

— Je vous le dis, votre cœur ne s'arrêtera pas. En tout cas, pas avant un bout de temps.

Elle rit franchement, ce qui montre qu'elle a réussi à prendre un peu de distance par rapport à ses symptômes.

— Ça va aller. Merci.

Elle sort et referme doucement la porte. Je l'entends parler à son ami dans la salle d'attente, à travers la porte.

— C'est combien?

— 2 à 1, Canadien. Pis, c'était quoi?

— Des stoles.

— C'est-tu grave?

— Ça va juste être grave quand je vais être vieille.

— On va à la Cage aux sports finir le match?

— Ça me tente.

PAROLES !

L'homme frêle d'au moins 75 ans souffre de malaises à l'estomac qui l'inquiètent, ce qu'il manifeste par un discours sinistre, mais bruyant, un peu trop pour un dimanche soir à minuit.

Après l'avoir bien examiné, constatant qu'il ne cesse de parler haut et fort même quand je l'ausculte – une expérience douloureuse pour les tympans –, je lui explique, en prenant bien mon temps, qu'il ne souffre de rien de grave, mais cela ne le tranquillise pas. Au contraire, la pluie de paroles se transforme en un déluge de mots, qui finissent par me donner mal à la tête. Je ne peux décemment pas l'envoyer chez lui dans cet état, surtout sans avoir calmé sa logorrhée verbale. Profitant d'une pause, puisqu'il faut bien respirer de temps à autre, je lui suggère de rester en observation pour la nuit ; il s'agit de le rassurer. Avec un peu de chance, l'épreuve du temps révélera si un problème plus sérieux peut expliquer son état, bien que je n'y croie pas du tout.

Une fois installé sur une civière, mon patient poursuit son intense monologue, hélant les patients, le personnel, les autres médecins et même les visiteurs. Quiconque à portée de voix devient une cible de choix. Même le plombier, venu réparer une fuite d'eau. Sa fille, un peu gênée de la situation, m'informe que son père a toujours eu ce comportement. Parfois, l'étourdissant discours s'interrompt quelques secondes, nous redonnant espoir, mais ça redémarre ensuite. J'avale trois Tylenol et poursuis mon travail.

Un patient assez vigoureux pour parler aussi fort, c'est rassurant, parce que cela démontre qu'il ne manque pas d'oxygène ni de tonus musculaire, que ses poumons ventilent et que son cœur pompe efficacement le sang jusqu'au cerveau – du moins jusqu'aux zones du langage. Au contraire, les plus gravement atteints parlent peu, économisant l'énergie pour mieux affronter la menace. C'est pourquoi il faut prendre soin des malades silencieux d'abord.

Je termine bientôt mon quart de travail et me rends une dernière fois à son chevet. Ma présence entraînant plus de verbiage, je retourne terminer mes dossiers. Le personnel a choisi de le mettre au bout du corridor ; je l'entends de loin discuter, plein d'une verve renouvelée par l'arrivée de l'équipe de nuit ; son infirmière peine à évaluer les autres patients. On perçoit tout de même un début d'introspection :

— Vous pouvez pas me donner quelque chose pour que j'arrête de crier de même ! ?

— Peut-être que vous pourriez simplement parler moins fort ?

— Si je pouvais, je le ferais, mais ça parle fort tout seul !

Il reçoit son congé le lendemain matin, aussi peu reposé que ses voisins. Apparemment, la mort n'était pas au rendez-vous.

Ni le silence.

GLOUGLOU

Dans la cinquantaine, cette patiente avec une jolie mèche verte m'explique, en choisissant avec précaution ses mots, que ça fait glouglou dans la région de son cœur, c'est-à-dire à gauche.

— Quel genre de glouglou ?

— Juste un glouglou. Ça revient plusieurs fois par semaine.

— C'était quand la dernière fois ?

— Il y a dix jours.

— Ah bon ?

— C'est variable.

Pendant qu'elle me décrit avec une précision chirurgicale son glouglou, je m'étonne intérieurement du nombre de gens convaincus que le cœur est à gauche. Puis, l'impatience me gagne, car la dame est intarissable. Je finis mon interrogatoire par des questions ciblées appelant des réponses courtes et je l'examine. Or, l'électrocardiogramme ne révèle rien d'anormal, et même si je consacre à son cas plus de temps qu'il n'en faut – nous sommes tout de même à l'urgence –, je ne trouve pas d'explication médicalement satisfaisante pour son glouglou.

Cette incompétence manifeste lui déplaît, sa formation d'homéopathe l'amenant plutôt à croire que le phénomène est dû à certains déséquilibres, dont je ne saisis pas tout à fait la nature. J'acquiesce vaguement, sans m'engager, puisqu'il s'agit tout de même d'une porte de sortie intéressante. Afin de remplir le silence un peu pénible qui s'installe, j'en profite pour lui rappeler la position centrale du cœur, bien protégé par le sternum – ce qui ne l'intéresse visiblement pas. Mon incapacité à repérer la cause dudit glouglou représente un échec de la médecine moderne, de même qu'une source non négligeable d'inquiétude.

Certains de mes confrères essaient de tromper leur sentiment d'impuissance diagnostique en imaginant des causes plausibles, mais improbables, afin d'expliquer chaque symptôme rencontré : « C'est votre estomac ; c'est une inflammation ; c'est un virus ; c'est l'arthrose ; etc. » Ils agissent ainsi pour se donner bonne conscience, une contenance ou peut-être même uniquement pour combler des silences. Je préfère admettre l'absence de diagnostic, après m'être assuré qu'aucune maladie grave ne menaçait sa vie. Je suggère alors un traitement orienté vers le soulagement des symptômes et propose de revenir à l'urgence si les manifestations persistent ou que de nouvelles pistes s'ouvrent. Le temps me donne généralement raison.

Après avoir vainement tenté de rassurer ma patiente, avec cet humour pétillant qui me réussit d'habitude assez bien, je lui annonce que j'ai atteint les limites de la médecine allopathique. C'est là que son visage se durcit. Visiblement, la qualité de notre relation thérapeutique n'est pas optimale.

N'allez surtout pas croire que je n'aime pas soigner les patients anxieux ou hypocondriaques, même les plus compliqués. Le défi est de distinguer parmi eux les plus malades et de rassurer les autres. Derrière une douleur thoracique banale se cache peut-être un infarctus du myocarde ou, pire encore, une dissection aortique, fatale une fois sur deux dans les 48 heures. Il s'agit surtout de comprendre la raison fondamentale de la visite à l'urgence, dont les motifs sont parfois étonnants. Le plus souvent, ces douleurs ne cachent rien de concret, hormis des problèmes mineurs et un fond d'inquiétude existentielle, qu'il faut aborder franchement si on souhaite régler le problème. Je ne reproche d'ailleurs jamais à un anxieux de consulter à l'urgence, même si ce n'est pas le meilleur endroit pour étudier les effets du stress.

Ma patiente se tient maintenant debout devant moi, je dirais avec une certaine raideur dans la pose. Je lui demande si elle est déçue de l'absence de diagnostic. « Pas du tout. » Peut-être a-t-elle peur d'un mal plus grave ? « Non plus. » Peut-être craint-elle que son cœur fasse défaut ? Elle se cambre davantage, se racle deux fois la gorge et laisse tomber : « Je n'ai pas peur de la mort, si c'est ce que vous pensez. »

Elle passe devant moi, se rend jusqu'à la porte, me toise une dernière fois du regard et sort d'un petit pas rapide. On ne peut gagner à tous les coups.

RESPIRER PAR LE NEZ

Cette patiente, un peu échevelée et plutôt mal maquillée, est toutefois vêtue avec goût; on lui donnerait une quarantaine d'années. Elle parle avec un fort accent germanique.

Indécise, elle s'assoit devant l'infirmière du triage, se relève après quelques secondes, puis se rassoit; puis, elle se relève encore.

— Qu'est-ce qui vous amène ici, madame Schönberg?

— Bien, des fois, je respire par la bouche, et d'autres fois, par le nez. Je ne sais plus quoi choisir.

— Pardon?

— Ça me mélange, le nez, la bouche, tout cela, vous savez.

La patiente pousse un long soupir et ferme les yeux quelques secondes. Elle explique qu'elle n'a pas dormi depuis la veille, trop préoccupée par sa respiration.

— Est-ce qu'il y a autre chose?

— C'est déjà beaucoup, non?

La patiente se rassoit. L'infirmière prend son pouls et mesure sa pression, évalue sa respiration et note la saturation d'oxygène, avant de vérifier la température. Tout est normal.

— Vous savez, ça m'arrive, à moi aussi.

— C'est possible.

— Vous ne toussez pas ?

— Pas du tout.

— Êtes-vous essoufflée ?

— Non, rien de cela.

— Venez dans la salle d'attente, le médecin va vous examiner.

— Je manque de temps.

Je rencontre la patiente quelques heures plus tard.

— Bonjour. Madame... Schrödinger ?

— C'est Schönberg.

— Excusez. Et vous venez... ?

— De Vienne, c'est en Autriche.

— Oui, je connais.

— Mais j'habite ici, maintenant.

Son accent est tout à fait sympathique.

— Comme ça, vous respirez des fois par le nez et des fois par la bouche ?

— C'est cela.

— Et ça vous dérange ?

— Qu'est-ce que vous en pensez ?

— Je ne sais pas. Avez-vous d'autres symptômes ?

— Non, mais cela m'inquiète. Je ne sais plus par où respirer.

— Vous savez, l'important, c'est quand même de respirer.

— Je le sais.

— Vivez-vous des stress particuliers ?

— Il faudrait voir... Ah oui : j'ai perdu mon chat.

Je l'examine. La bouche, le cou, le cœur, les poumons, le ventre, les mollets – parce qu'on ne sait jamais, des caillots dans les veines de la jambe, ça peut aller dans les poumons. Je ne trouve rien. En l'observant un moment, je constate qu'elle respire parfois par le nez, parfois par la bouche. Finalement, j'essaie de lui expliquer qu'elle se porte plutôt bien et que le phénomène devrait se résoudre de lui-même. Elle n'est pas rassurée, mais je lui donne son congé. Elle sort rapidement, un rendez-vous chez la coiffeuse, semble-t-il.

En rédigeant le dossier, je constate que je respire par le nez. J'ouvre la bouche ; je respire maintenant par la bouche. Je la referme ; à nouveau, l'air passe par le nez. Cela me rappelle quelque chose... Ah oui : le capitaine Haddock, quand son lieutenant lui demande s'il dort avec la couverture au-dessus ou en dessous de la barbe. Le nez me semble plus naturel, mais juste pour voir, j'ouvre de nouveau la bouche et...

— Attention, attention ! Code bleu, en inhalothérapie. Code bleu, en inhalothérapie.

Je me lève d'un bond. Avec l'équipe, nous partons à la course en poussant le charriot à code. On réglera le paradoxe respiratoire plus tard.

L'HOMME DE VITRUVE

Dès son arrivée à l'urgence, on comprend, à son air abattu, son regard tragique et ses conjonctives rougies, que ce jeune homme dans la vingtaine se considère mal en point. Tandis que l'infirmière s'approche, il s'assoit en grimaçant sur une des chaises rouges du triage. Elle lui demande son nom et la raison de sa consultation ; il répond qu'il va mourir et qu'il a besoin d'une civière. L'infirmière, le trouvant plutôt en forme, choisit de l'envoyer dans la salle d'attente.

— Mais je me sens pas bien.

— Pourquoi ?

— J'ai fumé un joint.

— Qu'est-ce que vous avez comme symptôme ?

— Je sens mes télomères rapetisser.

— Pardon ?

— Vous pouvez pas comprendre.

Le patient se lève lentement, avance de quelques pas, puis il s'allonge cérémonieusement sur le sol et fait l'étoile, au beau milieu de la salle d'attente, sous l'œil surpris des autres patients. L'infirmière observe la situation avec un certain intérêt ; ayant étudié les arts graphiques, elle a reconnu l'*Homme de Vitruve* de Léonard de Vinci.

— Qu'est-ce que vous faites ?

— Je vous l'ai dit, je veux une civière.

— Vous n'en avez pas besoin.

— Connaissez-vous les télomères, au bout des chromosomes ?

— Non, pas vraiment.

— Leur longueur détermine la durée de notre vie. Ils raccourcissent à chaque division cellulaire. Dans mon cas, ça va trop vite.

— Pourquoi ?

— Mon grand-père est mort à 30 ans.

— Vous faites quoi, dans la vie ?

— Comédien.

— Vous allez mourir, là, maintenant ?

— C'est possible.

Le patient refusant de se lever, l'infirmière l'assigne à une civière éloignée du poste de garde, où un préposé le conduit en fauteuil roulant. Je me rends plus tard à son chevet. Bien coiffé, l'air distingué, avec une barbichette rousse, il porte un foulard jaune assez mal assorti à la jaquette bleue de l'hôpital.

— Vous êtes le médecin ?

— Le seul en stock.

— Je pense que je vais mourir.

— Pourquoi ?

— Mes télomères, ça ne va pas...

— Oui, l'infirmière m'en a parlé. Vous avez lu ça sur internet ?

—Non, c'est dans le film *Katia*, de Bernard Émond. Un professeur de biologie donne un cours et...

— Katia ? Aucun de ses films ne s'appelle comme ça. Tant qu'à y être, vous allez me dire aussi que Bernard Émond lit *Road and Track* ?

Le patient me dévisage si longuement que ça me rend mal à l'aise.

— Comment le savez-vous ?

— Continuons.

— Pour *Katia*, je sais de quoi je parle, j'étais figurant.

— Mais c'est quoi, vos symptômes ?

— C'est pas suffisant de sentir ses télomères rapetisser ?

— Vous avez fumé quelque chose ?

— Vous pouvez pas comprendre.

— Je vais vous examiner.

— Non. Je refuse.

Je regarde, étonné, mon curieux patient.

— Je m'en vais.

— Pourtant vous étiez inquiet.

— Oui, mais vous ne pouvez rien pour moi.

— Vous allez signer un refus de traitement et...

— Non.

Il me regarde un moment, me prend la main, baisse les yeux et pousse un soupir.

— La mort.

— Oui ?

— Je refuse.

Il se lève et quitte l'urgence.

CRÉDIBILITÉ BIOLOGIQUE

Je rappelle nos objectifs. Ce court vidéo vise à décrire la prise en charge médicale de l'infarctus du myocarde. Il s'agit d'expliquer les nouveaux traitements et d'illustrer la chaîne de survie, du domicile jusqu'au laboratoire d'hémodynamique. Il faut agir naturellement, afin que la séquence soit réaliste.

Nous révisons une dernière fois le scénario. On filmera l'ambulance dès son apparition au coin de la rue. Après la montée sur la rampe, je sortirai de l'urgence et j'ouvrirai d'un geste les portes à double battant. Je m'adresserai au comédien, pendant que le paramédic me résumera l'histoire médicale, puis nous roulerons la civière jusqu'à la salle de choc, où Yolande, déjà installée à l'ordinateur, prendra les notes et vérifiera les allergies. Chantal fera pour sa part semblant de piquer le pseudo-patient avec un cathéter, la préposée installera les fils du moniteur cardiaque et le technicien procédera à l'électrocardiogramme. Il faudra aller vite, question de montrer qu'on ne perd pas une seconde. Une fois le diagnostic confirmé par un second électrocardiogramme, les soins usuels et l'administration de placebos achetés à la pharmacie du coin, nous partirons ensemble vers la salle d'hémodyna-mique. Comme dans la vraie vie.

Le réalisateur répond aux dernières questions du personnel, puis le caméraman prend place dehors, près de l'entrée de l'urgence. L'ambulance quitte le stationnement, fait le tour du pâté de maisons adjacent, revient et gravit la rampe. Pendant qu'elle se place en reculant devant l'entrée de l'urgence, j'apparais. La synchronisation est parfaite. D'un geste habile, j'ouvre les portes et le comédien apparaît, couché sur la civière ; dans la jeune quarantaine, son bronzage lui confère un air de santé peu convaincant, mais on fera avec. Une maquilleuse aurait coûté trop cher, m'a-t-on expliqué.

— Bonjour. Ça ne va pas ?

— J'ai une douleur au cœur !

— Je vois. C'est quoi l'histoire ?

— Nous avons un sexe masculin de 43 ans avec douleur dans la poitrine et voici son électro.

— Merci.

Je saisis l'électrocardiogramme que le paramédic me tend.

— Un gros infarctus, on le rentre !

Le comédien se tortille.

— J'ai mal !

— On va vous soulager.

— Merci.

Les paramédics sortent l'acteur et le poussent en civière jusqu'à la salle de choc. Je donne mes prescriptions au personnel :

— C'est un infarctus ! On lui ouvre une veine, l'aspirine est déjà reçue, bolus d'héparine et contrôle d'électro.

La caméra d'épaule suit nos mouvements, on se croirait dans *ER*. Sous la lumière crue du plafonnier, le teint hâlé donne à mon patient une vitalité improbable dans les circonstances, d'autant que ses mimiques sont un brin trop forcées. Mais bon, je ne suis pas le réalisateur. Rapidement, la préposée branche le moniteur cardiaque, Yolande s'installe à l'ordinateur et demande au comédien s'il souffre d'allergies, Chantal s'approche d'un air très concentré pendant que j'ausculte le cœur et les poumons.

— Non, pas d'allergies, par contre j'ai mal !

Chantal tient fermement son cathéter à intraveineuse de ses doigts experts, mimant la recherche d'une veine pour y planter sa grosse aiguille.

— Faites quelque chose ! J'ai mal !

On le savait. Pendant que le technicien termine l'examen, je me concentre sur l'écran de l'appareil à électrocardiogramme. Soudain, le comédien pousse un cri suraigu qui me fait sursauter.

— Ayoye tabarnak !

Le changement du niveau de jeu est étonnant. L'interprète est maintenant criant de vérité dans son rôle de patient, tandis que Chantal tient son cathéter bien enfoncé dans l'avant-bras droit. Saisissant une compresse, elle essuie le sang, puis me cherche des yeux, ne sachant si elle doit arrêter ou bien fixer le tout avec son ruban, comme d'habitude. L'artiste n'apprécie pas la situation imprévue à sa juste valeur ; fronçant les sourcils, il respire rapidement et pâlit à vue d'œil ; à son front perlent des gouttes de sueur. C'est un choc vagal, sans doute ; on croirait qu'il va mourir, justement. Comme le tableau est excellent, aussi bien continuer. Je fais signe à Chantal d'enchaîner. Elle branche le soluté, pendant que le technicien me tend l'électrocardio-gramme qu'il vient d'imprimer.

— OK, votre infarctus est confirmé, monsieur...?

Lorsque je me retourne vers le comédien, je me rends compte que nous ne l'avons pas baptisé.

— ...Tremblay, mettons.

— Comment vous sentez-vous?

— Plutôt mal.

— Ça va bien aller.

— J'espère...

— Vous avez une artère du cœur bouchée, on va la débloquer.

Pendant qu'on finit la préparation, je fais mine de rédiger mon dossier, sans pouvoir réprimer un sourire. Dans le reportage, on remarque à ce moment que j'ai du plaisir à travailler.

— Tout le monde est prêt? On y va. Go!

Nous sortons en vitesse de la salle par le cou-loir arrière, suivis par le caméraman et le réalisa-teur. Tous deux affichent un air étonné, mais satisfait. Le comédien sue à grosses gouttes et sa voix faiblit. J'espère qu'il ne perdra pas connaissance. Quoique...

Pendant que je laisse filer mon pseudo-patient vers la salle d'hémodynamique, je ralentis quelque peu le pas en réfléchissant à la question de la crédi-bilité dans le jeu des acteurs. Le malaise de notre interprète, provoqué par cette aiguille plantée par erreur dans son bras, a permis d'améliorer la scène, mais l'Union des artistes refuserait qu'on répète l'expérience de la piqûre, sans compter que les comédiens n'ont pas tous peur des aiguilles. Alors, comment diable améliorer leur crédibilité biologique?

Je ne sais pas encore que le lendemain, j'en parlerai justement avec mon ami d'enfance Alexis Martin, comédien et auteur de théâtre, et qu'un projet un peu fou résultera de notre discussion.

LES ACTEURS NE SAVENT PAS MOURIR

Le poids de l'opinion artistique du père Max, musicien accompli, était proportionnel à celui de sa panse. J'attendais donc avec anxiété son verdict, après ce sketch livré avec plus de conviction que de talent, ma prestation dramatique ayant surtout fait rigoler les campeurs. Je m'étais pourtant donné à fond, mimant avec émotion la mort du chef Yvon, un thème freudien par ailleurs inhabituel en 1977, au camp d'écologie du père Genest, à Port-aux-Saumons.

— Alors, Max?

— Alexis, c'est un acteur.

— Et moi?

— Toi? Tu es un bouffon.

Le verdict tombait de haut puisqu'il sortait de la bouche d'un serviteur de Dieu. Il laissait aussi présager que nous allions emprunter des chemins différents : Alexis serait comédien, et moi, le bouffon, je deviendrais médecin. Je fus tout de même l'un des premiers partenaires de jeu d'Alexis Martin, un fait malheureusement occulté dans l'histoire des arts de la scène. Cela se passait bien avant le camp d'écologie.

Huit ans plus tôt, à mon arrivée dans la rue Bloomfield, j'avais été accueilli par une tirade qui m'avait figé sur place. Lancée avec vigueur du haut d'un balcon, elle culminait par une injonction dramatique : «... alors touche pas à mon ami !» J'allais en effet prendre doublement la place de l'ami d'Alexis, puisque j'occuperais sa maison dès le lendemain et que je deviendrais ensuite le copain du futur comédien, qui allait notamment devenir un habitué de notre garde-manger, où ma mère cachait ses excellents gâteaux. De cette camaraderie naîtraient, au fil des ans, d'immortelles figures dramatiques, comme le Dur-de-dur et l'Impossible-de-l'impossible, héros mythiques de nos matchs de soccer disputés dans la cour de l'école Querbes, où avait d'ailleurs étudié mon père 50 ans plus tôt. Conçus dans le cadre d'une vaste stratégie visant à conquérir le cœur de Geneviève par les vertus de l'art et du sport, ces valeureux personnages essuyèrent un échec lamentable, comme dans toutes les bonnes tragédies. À partir de 1976, nous avons marché ensemble jusqu'à l'école secondaire Paul-Gérin-Lajoie où, quelques années plus tard, nous siégions à l'Association générale des étudiants. L'ambitieuse réforme proposée par Alexis pour refonder la démocratie scolaire n'a pas eu plus de suite que ma carrière de comédien. À la fin du secondaire, nous nous sommes perdus de vue pour longtemps.

C'est en 1992 que j'ai retrouvé Alexis – ou plutôt Lucky, qu'il incarnait de manière magistrale dans un *Godot* très relevé au Théâtre du Nouveau Monde, monté sous la direction inspirée d'André

Brassard. J'étais sidéré par son souffle dans la grande tirade absurde de l'acte I, dont voici un court extrait:

> ... on ne sait pourquoi à la suite des travaux de Poinçon et Wattmann il apparaît aussi clairement si clairement qu'en vue des labeurs de Fartov et Belcher inachevés inachevés on ne sait pourquoi de Testu et Conard inachevés inachevés il apparaît que l'homme contrairement à l'opinion contraire que l'homme en Bresse de Testu et Conard que l'homme enfin bref que l'homme en bref enfin malgré les progrès de l'alimentation et de l'élimination des déchets est en train de maigrir et en même temps parallèlement on ne sait pourquoi malgré l'essor de la culture physique de la pratique des sports tels tels tels le tennis le football la course et à pied et à bicyclette la natation l'équitation l'aviation la conation le tennis le camogie le patinage et sur glace et sur asphalte le tennis l'aviation les sports les sports d'hiver d'été d'automne d'automne le tennis sur gazon sur sapin et sur terre battue l'aviation le tennis le hockey sur terre sur mer et dans les airs la pénicilline et succédanés bref je reprends en même temps parallèlement de rapetisser on ne sait pourquoi...

Et ça continuait de plus belle, les spectateurs appréciant ce délire dans un silence médusé, éblouis par la performance. J'ai roulé quelques jours plus tard en direction de Sherbrooke, où la troupe jouait en tournée, afin de vérifier si je n'avais pas été simplement emporté par l'enthousiasme. La pièce ayant là aussi triomphé, il n'y avait plus aucun doute: à 28 ans, Alexis était devenu un sacré comédien. Je l'ai suivi de pièce en pièce, conquis chaque fois par les qualités de son jeu intense, polyvalent et déjanté. Un soir, après bien des hésitations – nous ne nous étions pas revus depuis le secondaire –, je suis allé avec émotion le rejoindre dans sa loge du Quat'sous.

Nos discussions ont repris comme si les années n'avaient pas passé, confirmant que le temps n'est qu'une illusion – tenace, disait Einstein. Nos trajectoires divergentes nous avaient menés à des visions du monde aussi complémentaires que perméables l'une à l'autre. Cette réalité intime que nous avions partagée plus jeunes, j'en ressentais les échos dans son théâtre, vu presque au complet, de *Oreille, tigre et bruit* à *Bureaux* au magnifique *Tavernes* – dont l'affiche, montrant ma compagne, trois amies infirmières et un bébé, n'a d'ailleurs qu'un lointain rapport avec le sujet. Immédiateté, justesse, éclatement de la forme et resserrement du fond, tragédie couvant sous le rire et ridicule donnant des jambettes au drame, cet habile mélange des genres était irrésistible.

Mon intérêt pour son théâtre et pour cet art en général grandissait chaque jour. Ce contact vivant entre acteurs et spectateurs, l'humanité du lieu, le cérémonial de la scène, tout cela m'avait conquis. Il y avait pourtant une ombre à ce tableau : les scènes où certains personnages mouraient avaient tendance à m'agacer ; elles fonctionnaient mal et cela m'embêtait d'autant plus que je ne comprenais pas exactement pourquoi, constatant seulement avec dépit que les acteurs ne savaient pas mourir. Je déplorais d'autant plus leur incapacité à rendre justice à l'agonie qu'on ne pouvait rater ce moment clé : il n'y avait pas de seconde prise, ni pour l'acteur sur scène ni pour le mourant.

C'était généralement un problème d'excès : trop d'intentions, trop d'émotions, trop de mots, trop de contenu. Bref, ça ne ressemblait pas beaucoup à ce que je connaissais, la mort ayant plutôt tendance à produire le contraire. Je ne voyais jamais, à la toute fin de la vie, de sursauts d'énergie venus de nulle part, permettant de concevoir une phrase inoubliable et grammaticalement prête à inscrire dans un livre d'histoire. Trop de lucidité jusqu'au dernier souffle était invraisemblable, parce que les fonctions complexes du cerveau disparaissent habituellement bien avant le trépas. Bref, la mort sur scène souffrait d'un manque de réalisme, les enfants, les adultes et les vieillards s'éteignant généralement sans geste d'éclat ni verbosité. Peut-être que les acteurs, ces remarquables imitateurs, n'étaient pas suffisamment formés ?

Je pouvais justement discourir avec autorité sur le sujet, conservant en mémoire nombre de regards vitreux, de sons informes, de grognements sourds, de spasmes misérables, de soupirs prolongés, d'odeurs épouvantables, de bulles salivaires et de couleurs hideuses, ponctuant et donnant tout leur relief à ces moments uniques, fort éloignés des agonies prolongées de Ronald Reagan dans ses films de série B. La mort que je connaissais était plutôt comme le spectacle morne d'une lampe consumant ses dernières gouttes d'huile ou d'une flamme vacillant en l'absence d'oxygène. Les fonctions du cerveau, parce que plus fragiles, s'envolaient en premier, emportant avec elles perceptions, langage, capacité à interagir, conscience et souvent ce qu'on appelle la dignité.

Quand j'abordai un soir avec Alexis cette question délicate, avec tout le poids de mon expérience d'urgentologue, il s'inquiéta d'abord de mes talents de médecin, vu que j'avais tant de cadavres sur la conscience. Je le rassurai : je me débrouillais assez bien, mais les gens mouraient généralement par eux-mêmes, la médecine étant alors incapable de renverser le cours des choses. Aussi fasciné par la médecine que moi par le théâtre, un intérêt d'autant plus étonnant qu'il souffrait manifestement d'hypocondrie, Alexis s'étonna de la capacité des soignants à garder le moral tout en étant constamment confrontés à la souffrance. Je lui expliquai comment les premiers morts nous bouleversent, mais qu'on finit par s'habituer, c'est-à-dire par concevoir la mort d'une manière d'autant plus naturelle qu'elle est au fond impossible à dissocier de la vie, que l'intensité du désespoir des proches nous affecte beaucoup, même après des années de pratique.

Il était aussi curieux des mystères de l'expérience subjective de la mort, sur laquelle tant de sottises ont été écrites. Je pouvais en avoir quelque idée, ayant ramené à la vie un grand nombre de patients en arrêt cardiaque. Or il ne leur restait que rarement des souvenirs du périple, pas d'image particulière, fort peu d'émotions claires et donc peu de matière pour bâtir une quelconque métaphysique.

J'insistai sur ma propre observation, qu'Alexis semblait vouloir éluder : les acteurs mouraient mal ; mon ami devait se fier à mon argument d'autorité. Nous avons finalement convenu qu'il faudrait un jour rétablir la crédibilité biologique dans les arts de la scène.

C'est ainsi qu'Alexis me proposa, au début de 2007, d'écrire à quatre mains une pièce de théâtre sur ce difficile sujet. J'ai sans doute fait semblant d'hésiter, intimidé par la proposition, mais je n'aurais pu résister longtemps à la tentation de sauter à pieds joints dans ce projet. *Sacré-Cœur*[1], objet théâtral étrange, croisement de deux lignes de vie raboutées, celle d'un acteur et celle d'un médecin, fut patiemment tissé pendant de longs mois, pour ma part dans un enthousiasme constant.

Ce travail de création allait d'abord m'obliger à porter un regard neuf sur mon propre métier, matière première de cette pièce à laquelle nous souhaitions imprimer une manière hyperréaliste. Les questions fusaient. Qu'est-ce que la médecine ? Qu'est-ce qu'un médecin, une infirmière, un préposé ou un patient ? Comment décrire la consultation, la douleur intense, la détresse affolée et l'arrêt cardiaque ? Quel est notre langage, que font nos mains, nos regards et nos corps quand nous soignons ? Quel rôle jouons-nous avec nos patients ? Que représentons-nous pour eux ? Que pouvons-nous faire pour mieux les aider ? Et bien sûr, au cœur de la réflexion : comment meurt-on ? Il fallait travailler ce point en profondeur. Question

---

1. Alexis Martin et Alain Vadeboncoeur, *Sacré-Cœur*, Montréal, Dramaturges, 2009. La pièce fut créée au printemps 2008 à l'Espace libre, puis reprise au même théâtre en 2009 et en tournée québécoise en hiver 2010.

subsidiaire : comment annonce-t-on la mort à des proches ? Quelles émotions surgissent alors ? Répondre à toutes ces questions, explorer, enseigner à nos acteurs comment soigner, comment être soigné et, bien sûr, comment mourir, c'était fascinant, pour moi comme pour lui.

Alexis est venu une semaine entière à l'urgence à l'automne 2007, m'accompagnant auprès des patients, vêtu d'un sarrau. Mon curieux stagiaire a développé au fil des jours une solide aptitude pour le questionnaire médical, complétant mes entrevues en approfondissant tel ou tel symptôme pendant que j'écrivais mon dossier – ce qui n'était pas surprenant pour cet habile dialoguiste. Il réussissait même à ouvrir de nouvelles pistes par ses questions : telle douleur dans la poitrine ne pouvait-elle pas s'expliquer par un reflux gastrique, dont il souffrait lui-même ? Tiens, c'était en effet fort possible.

Tous les acteurs sont ensuite venus s'imprégner de la réalité physique et de l'univers particulier des médecins, des infirmières, des préposés et des patients de l'urgence. Ce qui n'était pas difficile, leur seconde nature étant d'absorber les réalités humaines les plus variées pour les intégrer à leurs outils.

Lors de ce petit stage à l'urgence, j'ai pu observer des transformations aussi rapides qu'étonnantes : Luc Picard devenir un médecin convaincant en quelques heures (mon alter égo sur scène) ; Hélène Florent se transformer avec sensibilité en Judith Boyd, une brillante infirmière ; Jacques L'Heureux se glisser dans la peau d'Éric, un infirmier plutôt malcommode, puis dans celle de plusieurs patients mourants ; Muriel Dutil incarner avec intensité plusieurs personnages, dont une insupportable hypocondriaque, madame Greendye, celle qui avait des glouglous ; et Alexis se métamorphoser sous mes yeux étonnés en Denis Lanois, un poète maudit au destin tragique, de même qu'en Gaétan Sioufi, un préposé répétant son théâtre amateur avec les cadavres de l'urgence[2].

C'est finalement à l'urgence, en observant un jour la réaction d'Alexis, très ému par des jambes enflées que j'avais à peine remarquées, que j'ai compris pourquoi les acteurs ont de la difficulté à jouer la mort au théâtre.

Éponges humaines à l'affût de mimiques, d'attitudes, d'émotions et de sens permettant de bien nourrir leur art, les comédiens possèdent une faculté hypertrophiée de sympathie. C'est ainsi qu'ils arrivent à reproduire toutes les nuances de la sensibilité humaine. Cette qualité les rend toutefois mal à l'aise quand il s'agit de s'imprégner de la mort, ce qui est tout à fait compréhensible, dans la mesure où nous sommes tous programmés pour la fuir ou la combattre. S'imprégner de l'amour, de la colère, de l'enthousiasme, de l'énergie, de la violence, de la dépression ou de toute autre caractéristique du vivant est une chose, mais réussir à approcher la mort, à entrer en relation avec elle et à s'en inspirer est antinomique pour un organisme vivant, fût-il un acteur doué. Un peu comme quand Brad Pitt, qui incarne la Mort dans *Meet Joe Black,*

---

2. Lors de la reprise en 2009, Stéphan Demers et Édith Paquet ont repris avec brio les rôles tenus initialement par Luc Picard et Hélène Florent.

veut se faire aimer pour lui-même par Carla Forlani, et qu'il choisit de lui faire comprendre sa réelle nature, terrifiant la pauvre fille sans qu'elle comprenne bien pourquoi.

La sympathie, nous dit Littré, est la «faculté que nous avons de participer aux peines et aux plaisirs des autres» et c'est aussi, physiologiquement, ce «rapport existant entre deux ou plusieurs organes plus ou moins éloignés les uns des autres, et qui fait que l'un d'eux participe aux sensations perçues [...] par l'autre», ajoutant qu'il s'agit du «penchant instinctif qui attire deux personnes l'une vers l'autre». Ces trois définitions classiques décrivent bien la relation entre un acteur sensible et son entourage; non seulement je voyais à l'urgence les acteurs ressentir fortement les «peines et plaisirs», «participant aux sensations perçues par l'autre», mais il était évident qu'ils ne pouvaient aisément s'en prémunir.

En me suivant partout dans l'urgence et en partageant le travail des soignants, les acteurs de *Sacré-Cœur* se trouvaient exposés à des réalités cliniques bouleversantes, du moins en apparence. En salle de choc, j'ai ainsi dû effectuer une cardioversion[3] sur un homme dans la quarantaine; Jacques L'Heureux m'y accompagnait. Il a d'abord engagé une conversation légère avec le malade, qui l'avait reconnu.

Après avoir préparé mon patient, endormi par l'anesthésiste – ce qui peut ressembler à la mort –,

---

3. Choc administré au cœur, pas nécessairement pour sauver la vie du patient, mais plus souvent pour convertir une arythmie bénigne en rythme normal.

j'administrai calmement mon choc, mais l'arythmie résista, ce qui n'était pas bien grave.

— Ça n'a pas fonctionné.

À ce moment-là, j'ai vu Jacques reculer vers le mur, totalement catastrophé, convaincu que le patient venait d'y laisser sa peau. J'ai ensuite donné un second choc et l'arythmie a disparu, le patient s'est éveillé au bout de quelques minutes et sa conversation avec Jacques a repris, comme si de rien n'était. Émus de voir le héros de leur enfance aussi bouleversé, les poussinots de l'urgence ont consolé Passe-Montagne de leur mieux. Grâce à cette expérience limite, Jacques possède aujourd'hui une grande expertise en agonie, ce qui n'est pas nécessairement un atout quand il s'agit d'assurer la pérennité d'un personnage de téléroman, mais qui est fort utile pour clore une série manquant de budget.

Dans mon cours de médecine, on enseignait la distinction entre la sympathie et l'empathie, un mot créé en allemand (*Einfühlung*, «ressenti de l'intérieur») par le philosophe Robert Vischer en 1873, qui n'existait pas à l'époque du premier *Littré*. On nous formait à l'idée que l'empathie, permettant de se mettre à la place du patient sans être envahi par ses émotions, constituait un outil essentiel pour développer une alliance thérapeutique efficace. Par contre, on nous mettait en garde contre la sympathie, qui abolit la distance entre le médecin et son patient et peut compromettre cette relation thérapeutique.

Les comédiens, visiblement doués du côté de la sympathie, me sont aussi apparus plus hypocondriaques que la moyenne des ours. Ces artistes, des gens plutôt sensibles, peuvent aisément confondre une crampe intestinale avec la manifestation d'un cancer du côlon ; d'autant plus que le corps est, pour l'acteur comme pour la danseuse ou le musicien, un instrument essentiel dont il doit coûte que coûte préserver l'intégrité.

L'association d'un tel degré de sympathie à ce niveau supérieur d'hypocondrie ne peut qu'aboutir à cette difficulté de reproduire la mort avec simplicité, en s'abandonnant à la spirale entropique, dans un anéantissement plus ou moins rapide de toutes les fonctions vitales, sans artifice ni abus de sens, jusqu'au néant. Au contraire, le comédien se cabre en s'approchant de la mort, suivant en cela son instinct de survie.

Dans une scène pivot de *Sacré-Cœur*, Granger, un comédien moyen (joué par Jacques L'Heureux), rencontre Claudette, une infirmière d'expérience (Muriel Dutil) à qui le directeur général a demandé justement d'expliquer comment se déroule le trépas. La scène se passe à l'urgence et correspond en tout point à ce que j'ai moi-même enseigné à nos acteurs. En voici un extrait[4] :

GRANGER
Pouvez-vous me montrer comment on meurt d'une crise cardiaque ?

CLAUDETTE
Bon : une arythmie maligne ? Une rupture de l'aorte ?

---

4. Cette version fut établie pour la reprise de *Sacré-Cœur* en automne 2009.

GRANGER

Ben... non, simplement une crise cardiaque.

CLAUDETTE

Où ?

GRANGER

Bien... chez lui. Chez le personnage.

CLAUDETTE

Il meurt.

GRANGER

Oui. C'est le but. Non... pas le but, mais la scène.

CLAUDETTE

Okay. C'est un film triste.

GRANGER

Oui. Le personnage avoue enfin l'amour qu'il avait pour une autre femme à son fils, une femme qu'il aimait, et avec qui il a trompé la mère de ses enfants. Mais son fils lui pardonne, lui dit qu'il aurait pas dû s'en faire avec ça, qu'il comprend. Et le père est très heureux, et il a une grande émotion... et là un malaise l'emporte. [...] Alors, c'est quoi les manifestations physiques de la crise de cœur ? Comment exprimer ça de façon réaliste ?

CLAUDETTE

Bien, une crise cardiaque, ça fait mal ; ça peut causer de l'arythmie maligne.

GRANGER

Good, good.

CLAUDETTE

Le patient va sentir son cœur battre à toute vitesse, le sang se rendra plus au cerveau.

GRANGER

Donc une douleur là ? À gauche ?

CLAUDETTE

Non, le cœur est en plein centre. Le plexus. Le cœur est pas à gauche.

GRANGER

Ah non ?

CLAUDETTE

Non, en plein centre.

GRANGER, *méfiant*

C'est ce que disent aussi les médecins ?

CLAUDETTE

Ceux que je connais en tout cas.

GRANGER, *dubitatif*

Okay.

CLAUDETTE, *poursuivant son explication*

Donc, le sang se rend plus au cerveau, et là, le patient vient tout mou. Mou... Comme du jello.

GRANGER

Mou ? Je... qu'est-ce que vous voulez dire par là ?

CLAUDETTE

Ils déparlent, puis ils font des bulles. La salive. *(Elle singe un patient typique.)* Ils disent : je me la mati-moularisteritamou... mare...ti...borimatohui...

GRANGER, *interloqué*
Vous êtes pas sérieuse !

CLAUDETTE
Oh oui.

GRANGER
Ils déparlent comme ça ?

CLAUDETTE
Oui.

GRANGER
Mais... Comment je vais faire pour dire ce que j'ai à dire juste avant de mourir ?

CLAUDETTE
Bien... il faut changer le scénario ! Et mourir à l'hôpital !

GRANGER
Comment ça ?

CLAUDETTE
Si le patient est déjà avec nous, c'est sûr qu'on peut soit le réchapper, ou soit lui donner une chance de parler avec ses proches avant de mourir. Couchez-vous sur la civière, je vais vous expliquer.

Granger se couche sur la civière de la salle de choc.

CLAUDETTE
Faites comme si vous aviez très chaud, et un gros point de douleur, là, dans la poitrine.

Granger joue la situation du mieux qu'il peut.

CLAUDETTE

Restez là, on va jouer la situation comme ça arrive vraiment, dans la vie.

Claudette sort. Granger joue le jeu, un peu malhabilement, mais tout de même avec conviction. Sur les entrefaites, Judith arrive. Croyant Granger en proie à un vrai malaise, elle ouvre une veine, le pique.

GRANGER, *ébranlé*

Mais...! Ayoye! Tabarnak! Qu'est-ce que tu fais là?!

Granger manque de perdre connaissance.

JUDITH

Calmez-vous, le docteur va vous voir tout de suite. On doit juste ouvrir la veine avec un soluté. Ça va bien aller...

Judith sort. Claudette revient avec des tubes.

CLAUDETTE

Mon Dieu que vous êtes bon! Maudit que vous êtes bons les comédiens! Vous êtes en sueur, comme un cardiaque en crise! Ça va être bon votre série!

Après leur avoir fourni des pistes pour mieux comprendre et ressentir la réalité de l'urgence, de ses patients et des soignants, j'ai eu en retour cette chance incroyable de vivre la plus belle leçon de théâtre qu'on puisse imaginer, d'observer de près ces solides comédiens lire, explorer, douter, chercher et finalement trouver le ton juste, puis mourir un peu, revenir et se transformer, et ainsi vivre l'urgence, les soins et la mort en plongeant dans mon univers. J'ai appris beaucoup sur mon propre métier, sur le sens des gestes que j'accomplis chaque jour, sur ces mots étonnants de la langue médicale et sur la complicité d'équipe qui s'établit lorsque nous soignons. Tout cela agissait, au fil des jours, comme un miroir, révélateur de ma vie de médecin.

En me parlant de leur métier, les comédiens avaient cette modestie curieuse, qui s'exprimait par l'expression consacrée : « On sauve pas de vies. » J'avais beau expliquer que leur travail sauvait peut-être plus de vies qu'ils ne le pensaient et que de réaliser des gestes médicaux dans une salle d'urgence était plus facile que de les jouer sur scène, ils n'acceptaient pas la possibilité d'une équivalence. Même si Alexis m'a proposé de tenir le rôle très simple du préposé, qui manipule les civières et n'a qu'un nombre limité de répliques à donner, je n'osais absolument pas me retrouver sur scène avec lui. À chacun ses angoisses et son métier.

J'ai tout de même dû traverser mon lot d'épreuves dans l'univers théâtral. Le pire fut ce vendredi soir de la descente en salle, quand nous sommes passés du local de répétition à la scène. Lors de la première répétition dans le vrai décor, je m'étais assis tout en haut, fébrile ; mais j'ai vite déchanté, parce que vraiment, plus rien ne fonctionnait : tout était devenu terne et ennuyeux. Ce qui m'avait ému en répétition ressemblait maintenant à une création de théâtre amateur. L'annonce de la première le mardi suivant, parue dans les journaux du samedi, me terrifia ; il me semblait que tout cela n'était plus qu'une immense erreur d'interprétation de la réalité. J'ai songé à l'exil préventif.

Or cette pièce qui n'avait, une fois rendue sur scène, plus de vie ni de pouls ni de respiration, allait subir une nouvelle transformation dont la rapidité et l'efficacité m'ont vraiment étonné. Déjà, le dimanche, à l'avant-veille de la première, elle avait retrouvé un peu de son tonus, de sa forme et de son émotion. Le mardi, soir de la première, j'ai vraiment assisté à sa réanimation, par une brochette d'acteurs formidables : les comédiens avaient rendu leur souffle à chacun des personnages et tout son sens au texte.

On m'a ensuite expliqué, avec candeur, que c'était l'effet habituel du passage à la scène : avec l'expansion de l'espace physique, les comédiens perdent la plupart de leurs repères et il leur faut tout reconstruire. Mais voilà, personne ne m'avait informé du phénomène. L'anticipation du désastre m'a toutefois permis de goûter encore mieux toute cette vigueur retrouvée le soir de la première.

La scène finale, où l'on voit Jean-Guy, un homme mourant (Jacques L'Heureux) à qui la cardiologue (Muriel Dutil) vient de débrancher son défibrillateur implantable, avec Judith, sa fille infirmière enceinte (Hélène Florent), son conjoint Gilles, urgentologue (Luc Picard) et le préposé Gaétan Sioufi (Alexis Martin), est une synthèse de ce que nous avons appris ensemble sur la mort. Elle est inspirée d'une histoire tout à fait réelle :

JEAN-GUY
Judith, je veux te dire, je veux te dire juste que... je vais mourir.

JUDITH

Je sais, papa. Moi... Je veux juste te dire que je vais pleurer. *(Elle pleure, il la serre dans ses bras.)*

JEAN-GUY

Je sais, mon bébé. Moi aussi, je vais m'ennuyer de toi.

JUDITH

Je vais être un peu toute seule, maintenant...

JEAN-GUY

Tu vas te souvenir de moi ?

JUDITH

Toujours... *(Il lui sourit.)*

JEAN-GUY

Alors tu seras pas toute seule. Je vais être là. Dans ton souvenir... *(Il la serre.)* Tu es tellement belle, mon bébé. Tu as changé ma vie, je veux que tu le saches. Tommy va m'oublier, lui, tu lui montreras des films.

JUDITH

Tu te sens comment, papa ?

JEAN-GUY

Ça fait longtemps que je me suis pas senti aussi bien, mon bébé. Je me sens toujours bien quand je suis avec toi...

Un temps.

JEAN-GUY

Tu veux que je parte, mon bébé...

JUDITH

Je t'aime papa, je...

JEAN-GUY
Ma belle Judith... Laisse-moi partir maintenant...
C'est le temps de le dire...

JUDITH
Je t'oublierai jamais...

Un temps.

JUDITH
Tu peux t'en aller, maintenant...

JEAN-GUY
Merci, mon bébé.

JUDITH
Je t'aime.

Un temps. Puis l'arythmie apparaît, très rapide. Alarmes du moniteur.

GAÉTAN, *s'approchant*
On le code ou pas ?

GILLES
Non, on le code pas...

Le Dr Labonté regarde la scène de loin, très émue.

Jean-Guy perd rapidement connaissance, sans rien dire, ses bras deviennent sans vie, il lâche la main de sa fille.

JUDITH
Papa ?

GILLES, *s'approche d'elle, la prend par les épaules*
Il nous entend plus, Judith.

JUDITH, *angoissée*
Papa ?

L'arythmie cesse sur le moniteur, le rythme redevient régulier. Après quelques secondes, le patient ouvre les yeux.

JEAN-GUY
Qu'est-ce que tu fais là?

JUDITH, *incrédule*
Ben... Je suis là, c'est tout.

JEAN-GUY
Je suis pas parti, moi?

JUDITH
Oui... t'es comme parti, mais tu es revenu!

JEAN-GUY
En tout cas, on sent rien.

L'arythmie revient, très rapide; alarmes; Gilles lève la main, indiquant à Gaétan qu'on ne fait rien.

JEAN-GUY
Je pense que je vais repartir et jemidjwdywomatiouamadoti...

Jean-Guy perd connaissance. Un temps. L'arythmie cesse, Jean-Guy revient.

JEAN-GUY
Ah ben, ça parle au diable...

JUDITH, *inquiète*
Papa, ça va?

JEAN-GUY
Moi ça va, mais j'ai de la misère à partir... Cou' donc doc, tu m'avais pas dit que ça partirait tout seul? J'ai pas toute la nuit moi!

GILLES

Ça va, t'as pas mal, Jean-Guy ?

JEAN-GUY

J'ai jamais mal, et même si j'avais mal, je te le dirais pas, Gilles, tu pourrais vouloir me soigner, comme d'habitude.

GILLES, *lui prenant la main et la serrant*

T'es un homme courageux, Jean-Guy. T'es un superman. Faut être vraiment quelqu'un pour faire ça.

JEAN-GUY

C'est ça, mais Superman y a fini par mourir, moi j'ai de la misère... Criss !

JUDITH

Papa...

L'arythmie revient. Alarme de moniteur. Jean-Guy perd connaissance.

GILLES, *à Gaétan*

On peut fermer le moniteur ?

Gaétan éteint le moniteur. Un temps.

JEAN-GUY, *ouvrant les yeux*

Y est quelle heure ?

JUDITH

Papa...

JEAN-GUY

Ben coudonc, moi je veux partir, mais lui, y veut pas, ça a de l'air. *(Il montre le plafond du doigt ; l'équipe ne peut s'empêcher de rire un peu.)*

JUDITH, *qui rit dans ses larmes*
Qui ça?

JEAN-GUY
Y s'est pas nommé.

Et il ferme les yeux de nouveau, redevient immobile.

JUDITH
Papa...

COLÈRES

COUTEAU

Dans cette ambulance qui file à toute allure vers le centre de trauma, je tourne le dos à la route, bien agrippé à la courroie de sécurité. À ma gauche, le paramédic ramasse le matériel afin d'assurer une sortie rapide à l'urgence. Sur la civière, le frêle jeune homme gémit à chaque virage ; sa respiration rapide secoue son torse couvert de sueur ; un soluté coule à flots dans son bras gauche ; sur sa poitrine, un pansement sommaire s'imprègne graduellement de sang rouge vif. Nous avons fait notre possible dans ce sous-sol miteux, sentant la pourriture, où nous l'avons soigné.

À chaque battement du cœur, le couteau qu'il s'est planté à côté du sternum marque un coup, permettant de suivre le pouls avec autant de précision que sur le moniteur cardiaque. Mais le manche accélère, dépassant maintenant plus de 130 coups à la minute. Le paramédic essaie de reprendre la pression, toutefois avec le mouvement, le bruit du moteur et les sirènes, c'est impossible. Je jette un coup d'œil par-dessus mon épaule et j'aperçois, soulagé, l'hôpital. Comme nous approchons de la rampe d'accès, le patient dit faiblement : « J'ai mal, hostie... » Puis, les gémissements cessent, ce qui n'est jamais un bon signe. Je l'examine : son regard se perd maintenant dans le vague ; le paramédic vérifie le pouls : « Rien. » La respiration a cessé, le couteau ne bouge plus. En quelques secondes, pendant que nous roulons encore, le paramédic ouvre la trousse d'intubation, sort le tube numéro huit que nous avions préparé et me le passe prestement.

— Laryngo.

Je saisis le laryngoscope de la main gauche et d'un geste sec, j'ouvre la lame que j'enfonce dans la gorge du jeune homme, qui ne réagit pas. Mais je ne vois rien !

— Criss, l'ampoule du laryngo !

— Je l'avais vérifiée !

Je ne peux pas intuber. Je ressors la lame et ventile plutôt le patient avec le masque.

— On masse.

— Avec le couteau ?

— Heu... Laisse, on arrive.

L'ambulance freine dans un crissement de pneus ; je manque de tomber ; l'autre paramédic ouvre les portes arrière ; après deux ventilations, nous descendons la civière et le patient dans un fracas, puis courons jusqu'à la salle de choc sans nous arrêter, où l'équipe nous attend.

— Trauma thoracique pénétrant, perte des signes vitaux il y a une minute ! Le couteau est dans le cœur.

— Comment tu sais ?

— Le couteau battait.

Tout le monde passe à l'action. Je connais bien l'urgentologue, dont j'ai déjà suivi les cours.

— Tu l'ouvres ?

154

Il hésite.

— Je faisais ça, dans le temps...

— Me semble que...

— À chaque époque ses héros. Le chirurgien s'en vient.

Je suis sur les nerfs; le temps s'écoule tandis que l'équipe de l'urgence continue les soins, commence le massage cardiaque, sort le sang, transfuse, intube et installe des drains thoraciques. Le chirurgien arrive, l'air las.

— Alors?

— Trauma cardiaque.

— Depuis quand on a perdu le pouls?

— Sept minutes.

— Ah.

Je risque:

— Thoraco[1]?

Le chirurgien me lance un regard contrarié, puis réexamine le jeune homme, maintenant bleu foncé. Il se prononce enfin:

— Bon, on va faire ça au bloc. On monte.

Il sort en marchant pendant qu'on prépare le patient. Ma pagette sonne au même moment. Un autre appel: un arrêt cardiaque; on retourne à l'ambulance en courant. La nuit va être longue.

J'ai rappelé plus tard. Le patient n'est jamais ressorti du bloc opératoire.

Tout ça pour un cœur brisé. Au propre comme au figuré.

---

1. La thoracotomie consiste à ouvrir le thorax du patient dans le but de réparer la lésion coupable. Elle est parfois réalisée à l'urgence si la vie est immédiatement compromise.

ALCOOL

Le père est tellement agité que j'ai peine à le contenir.

— Je veux la voir ! Je veux lui parler ! Josiane !

— D'accord, mais vous comprenez, elle est pas consciente. On lui fait un massage cardiaque, elle a un tube pour l'aider à respirer, elle pourra pas vous répondre.

— Je sais, câlice ! Josiane ! Je veux la voir avant qu'a parte !

— Je viens vous chercher dans une minute.

Je retourne vers la salle de choc, j'appuie sur le bouton et la porte s'ouvre en glissant sur le côté. Devant moi, tout est calme. Pendant que le chirurgien se lave les mains, l'infirmière nettoie le jeune visage et l'inhalothérapeute range ses instruments. Je suis estomaqué.

— Mais... qu'est-ce que vous faites là ?

— On vient d'arrêter...

— Arrêter le code ?

Le chirurgien s'approche.

— C'est fini, Alain. Il y a plus rien à faire et...

— Je sais que c'est fini ! Mais le père s'en vient la voir !

— Alors, je vais lui parler et...

— Il veut la voir pendant qu'on code!

Tous me regardent, mal à l'aise, et souhaitent avoir mal compris.

— Depuis quand vous avez arrêté?

— Une minute, peut-être et...

— On reprend.

— Ça n'a pas de sens...

— On reprend! Le père veut la voir pendant qu'on réanime.

— Ben voyons donc...

— On masse, c'est tout!

Chacun retourne à sa place au chevet de la patiente, puis reprend en hésitant les manœuvres de réanimation. C'est un peu absurde, mais je n'ai pas d'autre option. Je vais chercher le père, qui pleure à chaudes larmes, la face cachée dans ses grandes mains. Il a trouvé sa fille dans le garage, coincée sous une caisse; sans doute une asphyxie par compression thoracique. À l'arrivée des paramédics, elle était bleue et n'avait pas de pouls. Ils ont commencé la réanimation et l'ont amenée en catastrophe.

Nous avons tout tenté, même les drains thoraciques et une ponction dans l'enveloppe du cœur, pensant qu'il pouvait y avoir hémorragie interne. Rien à faire, il n'y a aucun retour de pouls et voilà plus de 45 minutes que nous tentons de réanimer. La survie est impossible après tout ce temps.

— Monsieur Boisvert?

Le père lève la tête et j'aperçois sa mine complètement défaite. Nous retournons ensemble vers la salle de choc. Il sent l'alcool à plein nez.

La porte s'ouvre. Le petit corps immobile est devant nous, recouvert d'une jaquette, tandis que chacun est bien concentré sur sa tâche : le préposé masse vigoureusement, l'infirmière injecte les médicaments, l'inhalothérapeute ventile doucement et le chirurgien vérifie les drains thoraciques. Je m'approche avec le père, qui fond de nouveau en larmes. Il étreint sa fille, tandis que les manœuvres de réanimation se poursuivent.

— Reviens ! Reviens Josiane ! Reste avec moi ! Josiane, hostie ! Josiane !

C'est déchirant. La scène dure une bonne minute. Je lui prends la main, fais arrêter le massage et lui montre le moniteur cardiaque, où l'on ne voit qu'une ligne plate.

— Vous voyez, son cœur ne bat pas.

— Josiane ! Reviens ici ! Je veux que tu restes !

Le père secoue sa fille par les épaules. Je ferme les yeux quelques secondes.

— Docteur Vadeboncoeur...

L'infirmière me fixe, désignant d'un geste le moniteur, pendant que le père est toujours prostré sur le corps inerte. Je sens comme un frisson : l'activité électrique du cœur est revenue. D'abord lente, puis de plus en plus rapide. Sûrement l'effet de l'adrénaline dont on vient de redonner deux doses. Je sens passer un nuage d'angoisse. Il est impossible que son cerveau ait pu résister au manque d'oxygène prolongé.

Tout se mélange dans ma tête. Je fais signe à l'infirmière de raccompagner le père à l'extérieur. Il pleure comme un enfant, et la suit docilement.

L'infirmière referme la porte, revient et prend le pouls à l'aine.

— Le pouls est filant.

— Pression ?

— Ben voyons, tu vas pas la ramener ? Elle va être légume !

L'infirmière a presque crié. Je lui fais signe de parler plus bas et m'apprête à examiner l'enfant, quand soudain le rythme électrique se désorganise ; c'est une fibrillation ventriculaire[1] !

— On choque !

— T'es sûr ? Combien ?

— 200.

— OK, 200.

— Clear !

J'applique les palettes et pousse les boutons. Choc donné ! Le petit corps, vidé de son énergie depuis longtemps, ne se soulève même pas. Et le choc reste sans effet sur le cœur, toujours en fibrillation. L'infirmière m'implore des yeux en posant à nouveau sa main sur le bouton du défibrillateur.

— Encore ?

Les secondes passent. J'observe le petit visage et les lèvres bleues. Je cherche une réponse dans le regard des autres, qui ne vient pas.

— Un autre choc ?

Je garde encore le silence.

— Hein ? Non... Non, on choque pas.

Je prends une longue respiration, repose les palettes sur le défibrillateur et m'éloigne à reculons.

— On arrête ça là.

---

1. Arythmie mortelle, dont le seul traitement efficace est un choc rapide.

Chacun reste immobile.

Je me sens mal. J'ai besoin d'air. Je sors.

JUGEMENT

J'ai reçu l'appel sur ma pagette et je suis venu aussi vite que j'ai pu. J'arrive dans la salle de réanimation à bout de souffle. Quand je les aperçois, j'ai d'abord un mouvement de recul. Puis, après avoir mis gants, blouse et lunettes de protection, je respire un bon coup et plonge moi aussi.

La jeune femme inconsciente est grièvement lacérée au thorax. Autour d'elle s'active l'équipe. On se bouscule et tout le monde parle en même temps. Pendant que Gilles complète la difficile intubation, Michel pose le moniteur cardiaque et deux infirmières cherchent les veines fuyantes sous la peau. J'insère entre les côtes un large drain, d'où le sang gicle avec des bruits de bouillon. Aux pieds de la patiente, Louis incise la chair de la cheville au scalpel, exposant une veine, où il plante un gros cathéter.

De sa civière, juste à côté, l'homme plus âgé observe notre ballet frénétique. Il reste étonnamment stoïque, mais sa respiration s'accélère et la flaque de sang où il baigne grandit à vue d'œil. Joanne s'en approche et mesure sa pression, puis détourne les yeux quand l'homme lui souffle une seconde fois, d'une voix sourde :

— Je veux mourir.

Claude arrive à la course, revêt les vêtements protecteurs et jette un coup d'œil à la scène. Nous sommes presque tous autour de la jeune femme. L'homme a le front couvert de sueur. Claude lance d'une voix sèche :

— On n'est pas là pour juger.

On se regarde pendant quelques secondes. Puis, on redistribue les rôles ; je me déplace avec deux infirmières au chevet de l'homme, on ouvre deux veines, les transfusions sont installées ; l'homme faiblit et devient de plus en plus somnolent.

Pierre, le chirurgien de garde, rapplique enfin. Il demande à l'interphone l'ouverture du bloc opératoire. Puis, il examine sommairement la femme, avant de hocher la tête par dépit : on vient de perdre le pouls. Lorsqu'on commence le massage cardiaque, le sang gicle des plaies thoraciques à chaque poussée. Il se retourne vers l'homme, dont il explore les plaies sans ménagement, le faisant grimacer de douleur.

— Lui, on le monte au bloc.

Michel manœuvre habilement la civière de l'homme et la pousse vers le couloir, suivi par Joanne et Pierre. Pendant ce temps, l'équipe essaie toujours de sauver la jeune femme, mais la conviction n'y est plus. Louis demande enfin l'interruption du massage cardiaque ; le tracé au moniteur reste plat. On suspend aussi la ventilation ; la patiente ne respire pas. Le sang, maintenant foncé, continue de suinter, mais faiblement. Plus personne ne parle. Je donne un coup de pied sur le bas du comp-

164

toir. Après une bonne minute, Gilles annonce d'une voix sourde :

— On arrête.

La salle se vide et tout redevient calme. Revenu du bloc opératoire, Michel recouvre d'un drap blanc le corps de la jeune femme. Elle sera transférée plus tard à la morgue.

Dans la salle de repos, le silence règne. Un café, puis il faut se remettre au travail. La soirée sera longue : trois ambulances viennent d'arriver, la salle d'attente est bondée et dehors, c'est toujours l'orage.

Dix jours plus tard, au lendemain de l'enterrement de sa fille, l'homme quitte l'hôpital pour la prison.

FILIATIONS

Le patient fixe le plafond de son œil grand ouvert. Chaque fois qu'il inspire, sa tête oscille de gauche à droite. L'énorme plaie ouvrant sa gorge me permet de glisser le tube respiratoire directement dans la trachée. Son coma profond le rend indifférent à ces manipulations. Les infirmières ajoutent trois sacs de transfusion. Nous tentons de contrôler l'hémorragie avec toutes les compresses disponibles. Mais un jeu complexe de fontaines propulse par les vaisseaux rompus le peu de sang qui reste et ça pisse de partout. J'explore la surface du crâne en glissant ma main gantée sous le scalp, je ne palpe aucune fracture ; l'infirmière s'efforce de ne pas tourner de l'œil. Le chirurgien s'en vient, mais il est encore loin.

Je donne mes prescriptions, retire mes vêtements de protection et passe dans la seconde salle de choc, où ça ne va pas mieux. La femme allongée sur la civière a les mains posées sur son ventre : sa grossesse est presque à terme. Protégé dans l'utérus maternel, le cœur de l'enfant bat normalement. Lorsque la porte donnant sur le couloir s'ouvre pour laisser passer l'inhalothérapeute, j'aperçois le mari, un colosse. Comme il n'a mal nulle part, il n'a pas voulu être examiné. Son fils de deux ans, lui, ne donne aucun signe de retour à la vie. Pendant qu'on installe un paravent, la mère tend le cou pour essayer de voir le petit corps que nous essayons de réanimer.

Alors qu'ils roulaient dans la nuit, on leur a coupé la route, leur voiture a pris le champ, puis fait des tonneaux. L'enfant éjecté a été retrouvé à quelques mètres de la route.

— Mathieu!

— On s'en occupe, madame.

— Mathieu! Mon bébé!

Sylvie, l'autre médecin, intube le jeune enfant sans difficulté. La préposée masse vigoureusement la petite poitrine, tandis qu'on installe une transfusion sanguine. J'examine la mère, je palpe son ventre, je lui parle un moment. Elle a les yeux rougis, les joues pâles et les lèvres serrées. On m'appelle de l'autre côté.

— Excusez, je reviens.

Je retourne dans la première salle, où l'homme agonise. L'œil unique semble maintenant me surveiller. J'ai l'impression étrange d'avoir déjà vu ce patient. Je revêts une blouse, un masque et des lunettes. Le sang couvre le tronc, coule sur la civière et dégoutte abondamment sur le plancher. Sous l'impact du coup de fusil tiré à bout portant, la moitié du visage s'est volatilisée, laissant apparaître les structures internes. Les paramédics m'ont décrit le carnage dans la maison, les morceaux de chair éparpillés, le sang au plafond. Assis calmement dans la cuisine, la carabine posée sur la table, le tireur n'a pas résisté à l'arrestation.

L'œil ne réagit pas quand j'approche ma main. Le cerveau sans doute a été touché directement, ou bien c'est la force de l'impact qui explique le coma. La pression artérielle est toujours basse. Je donne mes consignes et je m'apprête à me rendre auprès de la femme enceinte, quand je m'arrête à la porte, saisi par un souvenir. Je me retourne. C'est Jim Fender! Exactement la même coupe verticale que la tête du cadavre disséqué de ma première année de médecine; mais lui saigne de partout, alors que Jim ne laissait couler que du formol. Cette vision cauchemardesque me fait un peu frémir. Je retraverse.

On poursuit de l'autre côté la réanimation de l'enfant, mais le moniteur cardiaque montre toujours une ligne obstinément plate. Le petit corps se laisse mollement ventiler. Après quelques minutes, on trouve une autre civière afin de relocaliser la mère hors de la salle de choc. Elle y attendra l'obstétricien, qui s'en vient évaluer l'état de la grossesse. Après sa sortie, la tension baisse d'un cran dans la salle, même si tout va mal. Je m'approche afin de remplacer la préposée au massage cardiaque. Il faut appuyer avec vigueur d'une seule main, mais dès les pressions initiales, les craquements des côtes me montrent que tout s'est brisé sous l'impact. J'interroge du regard l'inhalothérapeute.

— L'air rentre mal, ça résiste.

— Pourquoi?

— Le sang, j'en aspire beaucoup.

J'ausculte. Ça crépite en effet de partout, les poumons sont sûrement pleins de sang et d'œdème. Je reprends mécaniquement le massage cardiaque, pendant que Sylvie dicte aux infirmières les doses des médicaments et que des prélèvements sanguins sont réalisés. Nos interventions composent un ballet médical précis, dont l'objectif est de sauver Mathieu, mais nous savons bien que ce n'est plus qu'un théâtre, où les rôles sont tenus avec de moins en moins d'ardeur, surtout depuis que la mère a quitté la salle, parce que l'enfant ne reviendra pas à la vie. Les paramédics n'ont pu prendre aucun pouls sur les lieux de l'accident, un signe certain que les lésions internes étaient déjà trop graves. Impossible de contrer l'effet des blessures pulmonaires, de renflouer les organes abdominaux, sans doute perforés, ou de redonner vie au cœur. Impossible de renverser le cours du temps. Mathieu n'est plus qu'une apparence d'enfant, vidé de son sang et de son sens, empreinte physique d'une vie déjà révolue. L'entropie a de nouveau gagné. Nous préparons les parents à ce qui s'en vient, comme nous nous y préparons nous-mêmes.

Je demande à la préposée de me remplacer au massage et retourne au chevet de la mère. Le père à ses côtés lui tient la main, l'air agité, contenant sa rage autant que sa peine. Deux amis sont venus les soutenir. Je ralentis mes pas, comme si je ne souhaitais pas arriver jusqu'à eux. Le mari s'éloigne de moi.

— Monsieur Léger, vous...

Après quelques pas, il se plie en deux et reste là, prostré. Puis, au moment où je vais m'avancer vers lui, il se relève d'un bond, pousse un cri d'animal et frappe le mur si fort que le plâtre se brise! Sa femme crie à son tour, ses deux amis le prennent par les épaules en essayant de le contenir. En furie, il tente un nouveau coup.

— Lâchez-moi!

Tout le monde accourt. L'agent de sécurité et deux préposés costauds s'apprêtent à intervenir, mais je lève la main pour interrompre leur mouvement. Et nous restons là, immobiles, à observer ce géant terrassé, dont les hurlements perdent leur force et ne sont plus, bientôt, qu'un long gémissement. Je retourne vers la mère, qui veut revoir son enfant. Avec l'aide du préposé, nous l'installons dans un fauteuil roulant et la guidons jusqu'à la salle de choc, où l'on pratique encore un massage cardiaque.

— Alain? Viens ici!

La voix de l'infirmière provient de l'autre salle. J'ai le temps de voir la mère embrasser son enfant sur le front. Je traverse.

— On a perdu le pouls!

L'inhalothérapeute continue de ventiler la moitié de visage. Sur le moniteur cardiaque, le rythme est maintenant très lent. Le corps a tenu le coup jusque-là, mais les réserves sont épuisées, l'homme s'est vidé de son sang.

— On masse?

L'unique œil fixe toujours le plafond. Le cerveau ne fonctionne pas. Aucun traitement ne pourra le ramener à la vie.

— Non, on ne masse pas.

Je retraverse.

On a aussi cessé la réanimation de Mathieu. L'équipe immobile entoure maintenant la mère, à demi couchée sur le corps. Le colosse vient d'arriver, soutenu par ses deux amis.

Je sors de la salle, je suis très fatigué. Il faut que je prenne un café.

En le buvant lentement, je pense aux autres, à ceux qui ne sont pas venus à l'urgence.

À celui qui a coupé la route à cette petite famille.

À celui qui a tiré. Sur son père.

RAGE

«C'est toé, pis c'est ta face. Ta face laite, qui se crisse de tout', de moé, de lui. Ta face avec tes yeux d'achigan, qui regardent de travers, de côté, qui regardent pas, regardent pu. Ta face de baveux d'esti de magané de criss de dopé de chien d'marde de bâtard de câlice!»

La voix qui slame dans l'aigu depuis quelques minutes s'interrompt soudain. Puis elle reprend, dans un registre plus grave, si différent du premier qu'on croirait entendre une autre personne continuer le discours.

«J'peux pas croire que tu m'as fait ça, à soir, de même. Dis-moé juste pourquoi, qu'est-cé qu'y t'voulaient. Chu juste tannée de pas savoir. Tu peux pas imaginer comment. Pis tu peux pas me faire ça, c'est samedi soir, câlice.»

La jeune femme a les yeux bouffis, les doigts jaunis, les ongles sales et une longue chevelure rousse ébouriffée. Par moments, elle tremble comme une feuille, sinon, elle reste immobile.

«Tu pouvais juste pas, t'as pas l'droit. Tu m'entends-tu? T'es rien qu'un lâche! T'as toujours été rien qu'un hostie d'lâche! J't'haïs câlice, ça s'peut juste pas comment, m'a crever-là tellement tu m'écœures! Ouvre ton hostie d'bouche pis réponds. Câlice, parle! Je suis là, j'suis tout' là moé! C'était pas prévu, c'était pas ça, ça se peut pas, ça se peut juste pas!»

Elle scrute l'espace partout autour d'elle.

«Je peux-tu avoir de l'eau! J'ai soif!»

Personne ne vient. Le monologue reprend.

«Tu m'disais hier, r'garde, tout' va ben aller bébé, j'arrête au jour de l'An, on va aller aux States, on va s'acheter de quoi à New York, un condo, j'vas le rénover, on va être ben, on va aller à Time Square... Hein, bébé, tu m'disais ça, j'ai du cash...»

Ses yeux sont maintenant rêveurs, elle sourit avec tendresse et fait «oui» de la tête. Elle regarde ensuite l'objet qu'elle conserve depuis tout à l'heure dans le creux de sa main, on dirait une petite figurine. Son visage redevient vite hostile.

«C'était pas l'temps. Ouais, c'est jamais l'temps, on sait ben. Tu revenais de ton hostie de bar de marde. J't'avais dit d'les payer, criss! Pis tu voulais rien savoir. T'as fait à ta criss de tête de cochon! C'tait pas compliqué, bâtard. T'avais juste à sortir du cash, ils t'auraient crissé la paix! Y a-tu quel-qu'un viarge qui peut me donner d'l'eau?»

Le préposé vient lui porter un verre d'eau fraîche avec des biscottes, qu'il dépose à côté d'elle, sur la table de chevet. Elle avale l'eau, grignote un peu, puis sa voix se fait plaintive.

«Esti que j't'aime. Réponds-moé. Dis que'que chose, parle-moé. Y m'courent après. Y sont là. Y m'lâchent pus. Où c'est qu'tu l'as mis le cash? Tu dis rien, ta face dit pu rien, ta face a parle pu.»

Elle rit et chantonne, comme sur un air de comptine.

« Ta tite face a regarde pu. Pu pantoute, pu pantoute. »

Une forte voix à l'interphone l'interrompt.

« Attention, attention. Code bleu à la chambre 521. Code bleu à la chambre 521. »

Après une pause, elle reprend son monologue.

« C'est pas comme si c'était nouveau, mais là, la drop est wow, extrême ! C'est quoi qu'on fait, là, y m'reste rien. Criss que je chu mêlée. J'vas-tu continuer, j'vas-tu m'en sortir ? On va-tu s'en sortir, moé pis Kevin. Moé, pis ton Kevin. »

Sa voix est rocailleuse.

« Esti qu't'es laite pas d'langue. T'as pas d'allure. Déjà que sans dentier tu faisais dur, c'est sûr que j'peux pas t'exposer. Fait que ta mère va chialer, ben sûr. Câlice, j'ai soif, j'veux d'autre eau ! »

Le préposé rapporte de l'eau, lui sourit, replace sa jaquette, sécurise la ridelle de sa civière, ajuste le drap, puis éteint la lampe de chevet. Elle ne semble rien voir et ne le remercie pas.

Le personnel discute à voix basse. Il y avait eu un règlement de compte, il y a cinq ou six ans. L'homme avait le visage broyé. La grande adolescente rousse, retrouvée à côté de lui en mutisme, avait été transférée à l'hôpital pédiatrique avec son tout jeune enfant. C'est la première fois qu'elle revient ici. Maintenant, c'est une adulte. Il va falloir l'hospitaliser.

ATTENTE

Il est très tard, c'est presque la nuit. L'homme costaud s'approche du comptoir où le médecin rédige
depuis quelques minutes un dossier médical.

— Qu'est-ce vous faites, j'attends depuis le
début de l'après-midi moi !

Le médecin lève les yeux un moment, sans dire
un mot, puis retourne à son dossier. L'agent de
sécurité s'approche.

— Monsieur, venez par ici. Ne dérangez pas le
médecin, s'il vous plaît.

— Mais je fais une appendicite et...

— Monsieur, il faut retourner dans la salle
d'attente.

— Non, je veux voir le médecin ! Ça fait deux
heures qu'on le voit pu. Je vais me plaindre pis...

— Monsieur, ça suffit ! Tout le monde est
occupé et...

— Comment occupé ? Y a pas un patient qui a
été vu depuis deux heures !

Le médecin lève à nouveau les yeux.

— Vous trouvez ça long, c'est ça ?

— Ben oui, j'ai une appendicite et...

— D'accord, venez avec moi.

— Ah ben, merci.

Le médecin fait un signe à l'agent de sécurité, puis se lève lentement, fourbu. Son bleu est taché de sueur. Il prend doucement le bras de l'homme et l'entraîne vers une grande porte située au fond de l'urgence, sous le regard intrigué des infirmières.

— Vous avez mal au ventre, c'est ça?

— Oui, ça fait un bout, mais là...

— Vous savez, il y a des raisons, quand c'est plus long à l'urgence.

— Oui, je sais bien, doc, mais quand même...

Le médecin et l'homme continuent leur marche. Ils s'arrêtent face à la grande porte métallisée. L'homme est intimidé.

— La porte, elle va où?...

Le médecin ne dit rien. L'homme remarque ses yeux rougis et des traces de sang sur ses souliers. Le médecin appuie sa main sur le bouton de la porte, qui glisse sur le côté. L'homme s'avance, puis recule en poussant un cri.

— C'est quoi ça, tabarnak!

Il se retourne, effaré, regarde le médecin avec des yeux paniqués, essaye de faire quelques pas, vacille et s'appuie sur le mur, puis se plie en deux et vomit dans la poubelle.

Le médecin jette à son tour un coup d'œil dans la salle de choc. Il y a du sang partout, sur le plancher, sur les murs et même des traces au plafond, que les préposés s'affairent à nettoyer. Au fond de la salle, une civière est recouverte d'un drap, sous lequel on distingue une forme humaine; on dirait une femme enceinte. Et à côté, sur une table, un second drap; en dessous, un tout petit corps.

— Elle s'en venait visiter sa mère à l'hôpital. Un camion lui est rentré dedans, le jeune était chaud. Elle allait accoucher dans une semaine. Le gynécologue a tout essayé pour sauver au moins le bébé.

La porte se referme lentement d'elle-même, le médecin retourne vers le comptoir, reprend son dossier, puis il se dirige vers une salle d'examen où il disparaît sans s'être retourné.

EMPATHIES

BOSTON HUMANITÉ

Jeff Bentley a le visage grisâtre. Malgré la douleur, il ne crie pas. Indifférent à l'horreur, on dirait même qu'il veut dormir. La bombe de Boston vient pourtant de lui arracher les jambes.

À quelques pas, John Smith aperçoit Jeff. Il ne le connaît pas. Peut-être l'a-t-il croisé plus tôt dans la rue, sans même lui jeter un regard. L'horreur et la peur lui serrent la gorge, mais John se précipite à la rescousse, galvanisé par l'adrénaline, cette hormone de survie qui pousse à fuir ou à combattre.

Et John combat. Agité, couvert de sueur, les yeux ronds, il panse avec tout ce qu'il peut trouver les plaies de Jeff, en réalité ce qui reste des jambes. Puis, il le hisse dans un fauteuil roulant et zigzague à travers les blessés pour l'amener aux paramédics. Il sauve ainsi la vie de Jeff. Et en sauvant Jeff, il nous sauve aussi, parce qu'il nous montre qu'au cœur du pire tumulte, l'empathie reste agissante ; même une bombe et toute la violence humaine qu'elle exprime n'en viennent pas à bout.

Le premier réflexe est de se préserver soi-même, mais rescaper son prochain vient tout de suite après. C'est ainsi que, soudés les uns aux autres, nous survivons depuis toujours aux pires menaces. Au-delà des idéologies, des différences, des frontières ou encore de ce qu'on appelle les races – l'un est noir, l'autre est blanc –, John combat pour ce qu'il y a de plus digne. Que l'un ou l'autre ait été musulman, chrétien, bouddhiste, gauchiste, fasciste ou raciste n'aurait rien changé à cela, parce que John s'en fout; mieux, en ce moment, il ne voit rien de tout ça. Un visage gris et des jambes en morceaux, c'est bien assez pour tout comprendre.

À l'urgence, il faut d'abord se concentrer sur le visage, même si notre regard est attiré par l'hémorragie, les charpies de tissus, les blessures profondes et les esquilles d'os. Si le blessé respire, qu'il est conscient et qu'il parle, au moins son cerveau s'oxygène, et c'est une information essentielle. Le visage est le miroir de la vie. Quand j'y vois que vous êtes près de la mort, je me bats avec énergie pour vous garder parmi nous. Parce que mon métier se fonde en quelque sorte sur la nécessité de l'entraide. Dans les circonstances extrêmes, cette solidarité m'inspire pour combattre ce qui vous menace, empêcher que votre sang se répande, que l'arythmie vous tue ou que la douleur vous sidère.

Sans une constante empathie à l'égard de son prochain, la médecine n'est rien, même à l'urgence.

ÉLODIE, FRÉDÉRIC ET KATHY

Un train noir gorgé de pétrole, lancé sans conducteur sur une petite ville dont il fait exploser le cœur durant la nuit, on peut difficilement imaginer plus violent. Certains s'en sont réchappés en courant, poursuivis par des rivières de feu embrasant toute la rue; plusieurs ont eu moins de chance; des familles ont été disloquées, des couples amputés, des enfants arrachés à leurs parents – ce qui est bien pire que de perdre mère ou père. D'autres traumatismes ont suivi, comme ceux des jeunes enfants qui ne pouvaient comprendre tout de suite l'ampleur de la catastrophe. Ce drame a remis en question toutes les certitudes.

Au début, il n'y avait qu'un nom: Éliane Parenteau, 93 ans. Trois se sont rapidement ajoutés: Élodie, Frédéric et Kathy. Ils prenaient peut-être une bière ensemble; ils rigolaient, songeaient à rentrer, parce qu'il commençait à se faire tard. Mais bon, c'est l'été, un vendredi soir, on pouvait bien rester un peu, non? «Viens, on retourne danser!» Mais soudain, un grondement, un sifflement, puis un bruit d'enfer et le sol qui tremblait, le ciel qui brillait comme en plein jour. «C'est quoi? Viens! On sort!» Déjà trop tard. Élodie,

Frédéric et Kathy n'avaient que 18, 19 et 24 ans quand le monde s'est arrêté de tourner. D'autres noms s'ajoutèrent au fil des jours.

J'étais au chalet, un peu coupé de tout, quand j'ai entendu le décompte final : 47 morts. Un chiffre terrible, qui ressemble à ceux qu'on annonce trop rapidement quand on parle d'Irak ou de Syrie et qu'on n'entend même plus. Mais cette fois, la proximité rendait terriblement concrète cette arithmétique effroyable. Il y a eu ensuite la colère et toutes ces questions lancinantes, dont plusieurs n'ont pas encore reçu de réponse. Qui est responsable ? Comment ce train a-t-il pu rouler seul sans déclencher de mécanisme d'urgence, une alerte générale ou une évacuation ? Comment de tels malheurs peuvent-ils se produire à une époque prétendument technologique ? A-t-on négligé la sécurité ? Le laisser-aller dû à la déréglementation a-t-il joué ? Pourquoi les wagons ne répondaient-ils pas à toutes les normes ? Et quel combustible ces maudits wagons transportaient-ils ?

Heureusement, d'autres signes nous ont rappelé que l'espoir ne s'est pas envolé avec le reste : les secours arrivés rapidement, le soutien généralisé, la présence immédiate des élus, la solidarité profonde, la générosité, le rapprochement des communautés. C'était l'humanité agissante, qui se regroupe pour affronter la tragédie, comme depuis toujours quand une crise surgit. Les habitants de la ville meurtrie se sont peut-être sentis moins seuls et l'empathie générale a sans doute aidé à réduire la fracture survenue dans le réel, ce qui est essentiel pour initier ce long retour vers une vie moins déréglée. Personne ne sort indemne de ces tragédies ni n'en guérit complètement, pourtant ces gens continueront à vivre et souriront de nouveau, un jour ou l'autre.

Et il faut aussi penser aux soignants. Au début des années 1990, j'étais médecin sur la route à Urgences-Santé, je passais mes nuits à parcourir Montréal, allant de drames en crises. J'imagine sans mal l'impact de la tragédie sur tous ceux qui se sont portés à l'aide des gens de Mégantic. La confrontation avec la mort, c'est au début presque aussi dur pour les soignants. Avec le temps, on finit par mieux savoir comment accompagner les proches dans leur détresse ; on réussit à prendre un peu de distance. Ce n'est pas tant qu'on se forge une carapace, c'est simplement qu'on apprend à mieux intégrer cette apparente absurdité dans la vie réelle. Elle ne remet plus tout en question chaque fois. Elle ne démolit plus.

Quand la mort ne contrevient pas à l'ordre des choses, quand elle survient après une longue maladie par exemple, c'est parfois même une délivrance. Les proches sont tristes, nous aussi, mais c'est souvent mieux que si le malade continue à souffrir et que sa vie est une succession de longs séjours à l'hôpital ou pire, une veille inconsciente. Il y a pourtant un monde entre voir un parent quitter doucement la vie et en être séparé par une explosion. Une mort aussi injuste est beaucoup plus lourde à porter. Surtout quand ce sont de jeunes victimes, ce qui renverse l'ordre du monde. C'est alors presque impossible de ne pas plier les genoux.

J'ai eu mes Élodie, mes Frédéric ou mes Kathy. Ils avaient d'autres noms, mais le même âge ou étaient encore plus jeunes. Je me souviens de chacun. Ceux-là resteront gravés dans ma mémoire pour toujours. Je vous ai raconté l'histoire de quelques-uns d'entre eux, dans ce livre.

Au lendemain de Mégantic, je me suis levé tôt le matin, pour aller regarder mes filles qui dormaient encore. J'ai dû sourire un peu. Puis, je suis sorti sur la galerie. Il n'y avait pas un nuage. Le lac bleu était un miroir. Je suis descendu sur le quai et j'ai attendu que le soleil se lève en buvant un café. Le vent a commencé à souffler doucement, les vagues à froisser la surface. Je me suis glissé dans l'eau et j'ai nagé longtemps.

Les gens de Mégantic ont eu besoin d'un immense courage pour survivre à tout ce qu'ils ont subi. Et de beaucoup d'amour. Il leur en faudra encore des tonnes, et du courage et de l'amour ; et du temps ; toute une vie de temps. Et même une vie sera trop peu.

Dans quelques années, ceux qui ne sont pas de Mégantic, qui n'ont perdu aucun proche, qui n'ont eu personne à soigner ni vu aucun de ces corps, ceux-là, comme moi, oublieront sans doute les prénoms d'Élodie, de Frédéric et de Kathy.

Mais chacun se souviendra de l'histoire de ce train noir, entré en furie dans une petite ville sans histoire, qui a perdu, en l'espace d'une minute, une partie de sa jeunesse dans un Musi-Café.

DENNIS N'A PAS SOUFFERT

Attaché sur une civière, Dennis McGuire halète, renifle, lutte pour respirer, serre les poings, lève la tête, retombe inerte, se redresse un peu, pousse un long râle et finalement, au bout de 25 longues minutes, il meurt ; et c'est à glacer le sang. *The Guardian* a dénoncé cette atroce agonie, causée par la combinaison expérimentale de médicaments utilisée en Ohio. Pourtant, le quotidien anglais se trompe.

Il est vrai que l'homme n'est pas un patient, c'est un condamné ; qu'il n'est pas couché sur une civière d'urgence, mais bien sur une civière de la mort ; qu'il ne s'agit pas de médecine, mais de justice à l'américaine ; et que l'injection ne vise pas à le soulager, mais à le tuer.

Nuançons : à tuer, mais en soulageant d'abord, par une version contemporaine du dernier verre du condamné, un geste d'empathie avant de fermer le rideau.

La peine de mort est moralement indéfendable et humainement barbare, même quand il s'agit d'un homme qui a violé, étranglé puis massacré une jeune femme enceinte de 22 ans, pourtant il faut quand même comprendre ce dont on parle ici.

Je ne pense pas que Dennis McGuire ait souffert et voici pourquoi.

Le puissant sédatif midazolam et l'hydromorphone, un analgésique majeur, sont couramment utilisés en médecine d'urgence, aux soins intensifs et en anesthésie. Le midazolam, choisi en Ohio en raison d'une pénurie du pentobarbital, induit un état de calme à petites doses, permettant de procéder à des interventions anxiogènes ; à plus haute dose, la personne devient très somnolente, elle s'endort complètement et ne réagit plus aux stimuli. Et comme elle ne peut plus tousser, on dit qu'elle cesse de protéger ses voies respiratoires, ce qui peut causer un étouffement. Un arrêt de la respiration peut donc survenir.

Pour l'exécution de Dennis McGuire, on a utilisé 10 mg de midazolam, une forte dose intraveineuse[1]. Même à de très faibles doses, le midazolam entraîne une amnésie rétrograde, qui bloque tout souvenir des événements vécus à partir de l'injection et même un peu avant. Des voix s'élèvent contre l'utilisation judiciaire de ce médicament couramment utilisé en clinique, mais je ne vois pas en quoi le pentobarbital serait plus « moral ».

Quant à l'hydromorphone, c'est un analgésique, agissant aussi comme sédatif, dont l'effet est démultiplié en présence de midazolam. Moins utilisé que la morphine, dont il est le cousin synthétique, il est toutefois beaucoup plus puissant. Une

---

1. Il semble que l'Ohio ait ensuite décidé d'augmenter la dose à 50 mg, une dose de cheval.

simple dose de 2 mg intraveineuse rend la personne somnolente. À 10 mg, on peut tomber en coma. Pour Dennis McGuire, on a utilisé 40 mg. Au-delà de son pouvoir analgésique, l'hydromorphone agit, comme tous les narcotiques, en dépresseur des fonctions du cerveau, compromettant éventuellement la respiration, qui est contrôlée par le tronc cérébral – notre «cerveau reptilien» comme on l'appelle parfois. En cas de surdose, non seulement le patient devient peu sensible à la douleur, mais il s'endort et tombe dans un coma profond, cessant de respirer.

Les neurones seront encore plus lourdement affectés par la combinaison des deux produits. Les fonctions plus « superficielles », comme le langage, la perception et même l'état de conscience, disparaitront bien avant l'atteinte des centres respiratoires profonds, protégés le plus longtemps possible en raison de leur importance vitale – dans le sens propre du mot. La personne recevant ces médicaments pourrait aussi traverser une phase d'agitation, similaire à celle causée par l'alcool. Et lorsqu'elle tombera dans un coma de plus en plus profond, elle émettra divers bruits respiratoires inquiétants, semblables à ceux d'un grand ronfleur souffrant d'apnée du sommeil. Il serait tout aussi perturbant d'observer un patient à qui je viens d'injecter un sédatif à l'urgence.

Malgré ces manifestations déroutantes, il faut savoir qu'il est impossible d'éprouver de la souffrance lorsqu'on atteint le niveau d'inconscience requis pour arrêter la respiration, puisque c'est en quelque sorte l'absence de perception du problème ventilatoire qui déclenche l'arrêt respiratoire. Le ronflement, le sifflement respiratoire, les blocages partiels de l'air ne sont pas des manifestations de détresse, c'est le coma lui-même qui les explique.

La description dramatique citée au début de ce texte est donc une sorte de projection, les témoins assistant à des phénomènes apparemment terribles, similaires à celles d'une asphyxie. Ce n'est toutefois qu'une apparence. On peut faire une analogie avec l'arrêt cardiaque : les soins de réanimation, comme le massage et le choc électrique, sont aussi spectaculaires que terrifiants, mais le patient n'en perçoit rien.

Inversement, comme cela a déjà été rapporté en salle d'opération et lors d'exécutions vraiment « ratées », si on utilise par erreur un curare seul pour tuer la personne, paralysant les muscles sans affecter d'un iota la conscience, il est possible d'interrompre la respiration et d'entraîner par conséquent un état de détresse extrême, uniquement détectable par l'accélération du rythme cardiaque, l'augmentation de la pression et l'apparition de larmes, toutes les fonctions motrices étant paralysées. Cette mort épouvantable semblera sereine pour un observateur, tandis que les grognements et halètements de celui qui reçoit seulement des sédatifs paraîtront au contraire absolument épouvantables. Entre les deux, je choisirais les sédatifs, sans hésiter.

On peut aisément survivre à un coma médicamenteux, si on assure le support respiratoire ainsi que celui des fonctions vitales, par exemple en branchant la personne à un respirateur et en lui administrant ce qu'il faut pour contrôler sa pression et son pouls. C'est ce que l'anesthésiste fait tous les jours au bloc opératoire. Le rôle de ce spécialiste n'est d'ailleurs pas tant d'endormir le patient, ce qui est très facile, que d'assurer un réveil subséquent, une phase plus délicate.

Dans le cas de Dennis McGuire, exécuté à 53 ans à l'aide de médicaments que j'injecte chaque jour à mes patients, il ne s'agissait toutefois pas de médecine, mais d'un aller simple vers la mort.

LA LIBERTÉ DU CHOIX

Durant mes études de médecine, j'ai appris la technique de l'avortement par aspiration. Je me souviens du sang, des débris de tissu, des bruits de succion stridents et de la douleur, qu'on nous montrait à soulager. C'était intense, mais pas aussi troublant que la détresse et les larmes de ces femmes, souvent adolescentes. Je dois en partie cet enseignement aux travaux menés tout au long de sa vie par le docteur Henry Morgentaler, ancien étudiant de médecine à l'Université de Montréal, diplômé en 1953, 45 ans avant ma promotion.

Quand j'étais étudiant, les patientes défilaient encore devant les comités de médecins, qui décidaient s'il fallait ou non procéder à l'avortement, évaluant essentiellement s'il s'agissait d'une décision « éclairée ». Ces comités sont devenus caducs après la victoire judiciaire du docteur Morgentaler en Cour suprême, qui a bousculé nos lois en 1988, l'année d'obtention de mon diplôme.

Depuis toujours, le petit docteur barbu fascinait ses inconditionnels autant que ses ennemis ; envers et contre tous, ce médecin a réussi à changer le cours de l'histoire. Il a mené son combat au long de sa carrière, qui s'est confondue avec les bouleversements sociaux de l'époque et notamment les grandes luttes féministes.

Ayant survécu aux camps de la mort et plus tard aux menaces, à la haine, aux attentats, aux procès, à la prison et aux attaques de ses adversaires politiques, sa détermination est demeurée constante et il prenait chaque défi à bras-le-corps, sur le terrain, dans l'arène juridique ou avec ses collègues. Il a ainsi imposé une pratique médicale rigoureuse, qui a sauvé bien des vies.

Il n'était pas le seul de son camp : sa cause était déjà défendue dans les années 1950 par son confrère, le médecin et écrivain Jacques Ferron, qui s'est lui aussi battu contre les avortements clandestins et en dénonçait les méthodes, l'introduction inefficace des pilules de permanganate de potassium dans le vagin ou encore ces dangereuses tiges laminaires qu'on pouvait trouver à la pharmacie pour cinq dollars et qu'on plaçait dans le col de l'utérus, causant parfois des complications graves.

L'avortement médical était beaucoup moins risqué, mais l'idée heurtait les mœurs nord-américaines, encore sous la pleine emprise des enseignements religieux et du patriarcat. Les femmes venaient à peine d'acquérir une autonomie relative avec l'obtention du droit de vote en 1940. Ma propre mère, féministe avant la lettre, devait faire signer son mari pour être admise à l'hôpital dans les années 1950. Avec l'arrivée de la pilule contraceptive et la montée du féminisme des années 1960, le vent a commencé à tourner.

Ces pouvoirs millénaires, le docteur d'origine juive, frondeur et farouchement athée, osa les défier. Son combat s'inscrivait aussi dans une vaste fronde sociale contre les préceptes obscurantistes. Le mémoire qu'il déposa en 1967 au Comité permanent de la santé et du bien-être social, réclamant pour les femmes enceintes le droit à des avortements sécuritaires, provoqua une commotion. À partir de 1969, il décida de se consacrer à la pratique des avortements, encore illégaux, ce qui le conduisit à la prison dès 1970.

On dit aujourd'hui que le débat est clos, mais c'est par la force des choses et non à la suite d'une prise de position politique courageuse de nos politiciens. Au contraire, la question est périodiquement remise au goût du jour par les forces conservatrices. Aux États-Unis, la pratique est légale, pourtant les cliniques ferment régulièrement sous la pression des fanatiques religieux, des femmes y sont parfois soumises à des contraintes inhumaines, comme regarder une échographie du fœtus avant l'avortement, et des médecins sont tués. Au Canada, les gynécologues sont récemment montés aux barricades contre un changement réglementaire proposé par les conservateurs.

Je ne peux m'empêcher de songer à mon père, contemporain et voisin de classe de Jacques Ferron. Un peu croyant – les interprétations varient sur ce point –, il n'acceptait pas que l'accès à l'avortement soit si répandu, ce que ne devaient guère apprécier ses amies féministes. Homme de gauche et syndicaliste convaincu, ce n'était pourtant pas un réactionnaire, mais il percevait l'avortement comme une pratique barbare et remettait en question la banalisation du vivant qu'il implique, s'interrogeant à cet égard sur l'absence de limites à la liberté de choix.

Pour ces raisons, il n'aimait pas le docteur Morgentaler, même si, comme je le lui disais, ce médecin n'était pas « pro-avortement », mais plutôt « pro-choix ». Or la nuance est de taille, puisqu'un appui à la liberté de choisir l'avortement et de recevoir des traitements sécuritaires n'est en rien une promotion de l'avortement. Donner le choix ne signifie pas non plus banaliser l'avortement, ni s'empêcher de déplorer sa fréquence élevée, ni d'ailleurs refuser d'en diminuer le nombre ; c'est surtout choisir d'y travailler en encourageant l'éducation et le respect de la liberté et non par le biais de la peur. Je ne suis pas certain que mon père acceptait cette nuance.

J'admettais toutefois avec lui qu'un fœtus est différent de sa mère, étant génétiquement distinct. Pour preuve, si le système immunitaire ne faiblissait pas durant la grossesse, la présence intruse serait rapidement détruite par les défenses naturelles de la mère. La question centrale est plutôt celle-ci : à quel moment ce fœtus devient-il une personne, dotée de qualités propres et de droits pouvant dès lors empiéter sur ceux de la mère ? Pour ceux qui combattent le droit à l'avortement, c'est dès la conception ; pour ceux qui l'appuient, c'est plutôt à la naissance. Cette dernière position est aussi acceptée juridiquement, et c'est très bien ainsi. Parce que si l'idée est en partie arbitraire d'un point de vue biologique, d'un point de vue sociétal, aucune autre option n'est applicable.

Dans un monde où chacun serait bien informé, agirait de manière raisonnable, où les moyens de contraception seraient bien utilisés, où les séparations n'existeraient pas, ni la pauvreté, la violence ou les viols, où chacun prendrait soin de son prochain et où aucune femme n'aurait peur d'être laissée seule ou de perdre son travail parce qu'elle va accoucher, il y aurait beaucoup moins d'avortements. Mais ce monde-là n'existe pas.

Ayant côtoyé la détresse, la pauvreté et la violence, Morgentaler comprenait que dans notre monde trop humain, l'accès à l'avortement est aussi essentiel que toutes les autres libertés, pour lesquelles tant d'hommes et de femmes se sont battus, parce qu'elles nous humanisent et nous permettent de vivre par-delà nos préjugés et nos intérêts propres. C'était donc, à sa façon, un combattant de la liberté.

Je ne songeais pas à ces complexes enjeux quand j'apprenais à réaliser des avortements ; mon défi était avant tout clinique, technique et humain : il s'agissait de réussir un geste médical tout en aidant la patiente à traverser cette épreuve sans trop souffrir. Je n'étais pas là pour juger.

Morgentaler ne jugeait pas non plus. Il a ainsi transformé la vie dans la cité. C'était un médecin politique.

JE N'AI PAS TUÉ MON PATIENT

Il m'annonçait calmement, la semaine dernière, que le temps était venu, parce qu'il n'en pouvait plus.

— Une bête ne vivrait jamais comme ça.

Il me regarde maintenant avec des yeux presque éteints. Visiblement épuisé, souffrant, pâle et surtout terriblement maigre, il n'est qu'un amas de douleur, une peau tendue sur des os trop friables.

Sa famille l'entoure, pleine de tristesse et de résignation. Tout a été dit. Je prends donc la seringue et vérifie la dose.

— Vous êtes prêt?

Curieuse question, à laquelle il ne répond pas, assommé par la morphine, la cachexie, la douleur, la déshydratation et la fatigue – mais toujours lucide. Il observe chacun de mes gestes, sachant de quoi il en retourne et bien conscient de ce qui s'en vient.

Il regarde sa femme, lui sourit faiblement, puis sa fille, qui s'approche et le serre délicatement dans ses bras, lui soufflant à l'oreille un mot que je n'entends pas. Il jette un coup d'œil sur la photo de son fils, posée sur la table de chevet, et pince les lèvres de dépit, sans doute parce qu'il n'a pas voulu venir.

Il se retourne vers moi et acquiesce d'un signe de tête. Mais il grimace immédiatement, parce que la douleur est intense, comme chaque fois qu'il bouge. Les énormes métastases qui lui percent la peau ont encore progressé, paralysant son côté droit et lui envoyant régulièrement de terribles décharges électriques dans le dos et le bras, ce que personne n'a réussi à soulager. Il respire quelques instants plus rapidement, puis la douleur se calme. Il pousse un long soupir, et ferme les yeux. Après un moment de silence, je branche la seringue au soluté et vérifie la tubulure.

— Alors, donc... J'y vais.

Il ne me répond pas. J'enfonce le piston pour injecter le sédatif, d'abord lentement. Au bout de trente secondes, il bâille. Je continue d'en ajouter. Sa respiration ralentit graduellement.

— ... pis là, quand même que tu...!

Quand le jeune homme en sarrau pousse la porte en riant, la fille du patient sursaute. Nous apercevant, il s'arrête et bafouille des excuses, avant de sortir rapidement à reculons.

Le calme revenu, j'observe la femme du patient, dont les yeux cernés sont rivés presque sans ciller sur le visage aimé. Quarante-trois ans de mariage, pas toujours heureux, m'avait-elle confié.

J'enfonce davantage le piston. Les lèvres de l'homme s'arrondissent d'un curieux sourire, comme s'il prononçait la lettre « o », puis son visage devient parfaitement immobile. Ce ne sera plus long. La femme se remet à pleurer, lève les yeux et me fixe longuement. La fille hoche douce-ment la tête : elle ne voulait pas ; elle avait même tenté de convaincre son père de continuer, mais en vain ; elle croyait toujours en ce qu'on appelle l'avenir, pas lui.

— Miguel ?

La voix de la femme, qui couvre à peine la musique douce émanant de l'appareil placé au poste de garde, me tire de ma rêverie. Je songeais à mon père, sur son lit de mort.

Le vieil homme respire encore un peu, mais à peine. Le cycle respiratoire s'étire et devient superficiel. Un léger mouvement agite sa main gauche, puis s'interrompt. Je calcule mentalement la dose reçue, deux fois celle d'une anesthésie générale. Il me faut continuer jusqu'à l'arrêt complet de la respiration, puis ajouter une pleine dose.

L'homme ne respire déjà plus. J'attends quelques instants, donne l'autre dose, débranche la seringue du soluté, vérifie le pouls, à peine perceptible. Une minute plus tard, je le perds.

— Mes sympathies. Je vous laisse avec lui. Prenez le temps que vous voulez. L'infirmière va revenir tout à l'heure.

Après avoir tamisé la lumière, je retourne au poste de l'unité. Je prends un moment pour rassembler mes idées, puis j'ouvre l'énorme dossier médical du patient, long récit d'une vie maintenant révolue, où j'inscris la conclusion : « Heure du décès, 15 h 34. Pas d'autopsie. »

TRAJECTOIRE

Peu de gens savent que ma pièce *Sacré-Cœur*, créée en 2008, raconte en filigrane une sorte de métamorphose que j'ai vécue sur 30 ans, en partie liée à ma pratique de la médecine.

Adolescent, je souffrais d'une sorte de phobie sociale. J'arrivais un peu moins facilement que les autres à entrer en relation. Cela m'a suivi jusqu'à la faculté de médecine, dernier endroit où j'avais pensé aboutir. Plongé dans cet univers de premiers de classe dégourdis, plus sportifs et sociables que moi, je souffrais de me sentir un peu étranger, à tel point que j'avais parfois de la difficulté à entrer en classe. De plus, je trouvais l'enseignement magistral soporifique.

J'ai donc cessé d'aller à mes cours dès la seconde moitié de la deuxième année, choisissant, comme d'autres, d'étudier par mes propres moyens, ce qui me réussissait mieux. Je préférais aussi passer mes journées, mes soirées et les nuits de montage du jeudi, dans les locaux du journal étudiant *Le Continuum*, où j'avais beaucoup de plaisir. J'y côtoyais des jeunes gens aussi allumés que délurés, sensiblement plus près de ma réalité que mes confrères de classe.

En 1985, j'ai décontenancé le vice-doyen de la faculté en lui annonçant mon abandon de la médecine après ma troisième année de formation. Avec sagesse, ce médecin motocycliste qui comprenait bien les étudiants m'a suggéré de prendre une année sabbatique, puis de revenir si le cœur m'en disait.

Laissant là blonde, famille, amis, faculté et journal, je suis donc parti à l'âge de 22 ans, voyageant sur le pouce, seul ou avec d'autres au hasard des rencontres, sans itinéraire. Débarqué au Trafalgar Square de Londres au milieu d'un groupe de punks avec mon sac à dos, je me suis ensuite dirigé vers la France, puis la Suisse, où j'ai emprunté à un copain qui m'hébergeait les poésies complètes de Rimbaud, un livre qui m'accompagne encore aujourd'hui.

Après une visite à Salzbourg, j'ai décidé de descendre dans la botte italienne, comptant d'abord m'imprégner de mes origines latines avant de retrouver les racines grecques de la civilisation à laquelle j'appartiens. Après trois semaines fascinantes en Sicile, terminées à Palerme, j'ai plutôt traversé vers Tunis le 31 décembre 1986 à minuit, sous la pluie battante, pour vivre deux semaines mouvementées dans la capitale. J'ai ensuite obliqué vers le sud, puis traversé le Maghreb d'est en ouest au beau milieu du désert, sans revoir la mer jusqu'à mon arrivée à Casablanca.

Perdu dans les dunes, je récitais *Le bateau ivre*, appris par cœur et me trouvais terriblement romantique. Mais dans le village de Timimoun, en Algérie, après avoir manqué d'y laisser ma peau à cause d'une grave dysenterie, j'ai compris à quel point j'étais favorisé par ma condition, comme me le faisait remarquer un peu rudement mon ami Mohammad, un garçon tout à fait semblable à moi, mais sans travail ni argent et qui souffrait probablement d'une tuberculose qu'il ne pouvait faire soigner. L'appel de la liberté qui m'avait poussé à abandonner la médecine m'apparaissait maintenant comme le repli d'un enfant gâté par la vie et un peu troublé.

J'ai tout de même terminé mon périple maghrébin, puis je suis remonté en vitesse jusqu'à Paris, traversant l'Espagne sans la voir, pour reprendre un vol direct vers Montréal, juste à temps pour le stage d'été de l'externat. Voilà 10 mois que je n'avais plus mis les pieds chez nous.

Et j'ai retrouvé la médecine avec enthousiasme en entrant à l'hôpital, une étape cruciale qui, à l'époque, arrivait bien trop tard dans notre formation. De manière surprenante, je m'y suis senti tout de suite à mon aise, entouré de patients, d'infirmières et de médecins – et même d'étudiants en médecine. Il faut croire que j'avais mûri.

J'ai alors adopté pour de bon ce diable de métier, qui m'a depuis apporté tout ce qu'on peut souhaiter, même des idées pour écrire des pièces de théâtre et des bouquins mortuaires. Mais surtout, la médecine m'a transformé, j'en suis certain, améliorant graduellement ces difficultés relationnelles qui m'avaient causé depuis l'adolescence quelques soucis. Du moins, j'interprète ce changement comme un effet secondaire de l'empathie constante qui rapproche le médecin et son patient. Ma femme et mes trois enfants ont aussi été au cœur de cette transformation.

Dans la pièce *Sacré-Cœur,* le personnage du docteur Gilles Papineau, mon alter égo, vit en condensé le même cheminement. Après une crise profonde, cet urgentologue un peu désagréable et parfois imbu de lui-même devient plus humble et ouvert à la vie. Non seulement aimera-t-il, mais il deviendra plus sensible aux autres et pourra enfin nommer la mort, un mot qu'il ne prononçait pas. Même si je n'ai jamais vécu une crise aussi intense que celle qui a presque terrassé mon personnage, après une erreur médicale grave qui l'avait poussé au suicide, ma trajectoire est à l'image de la sienne.

Je pense qu'à force de parler à tant de patients, de les écouter, de les toucher, de les palper, et aussi de les voir pleurer, gémir, rire et mourir, mon sentiment de distance vis-à-vis des autres et du monde s'est peu à peu estompé.

Mes patients me remercient souvent pour ce que je fais pour eux, mais ils ne savent sans doute pas que je leur dois bien davantage. Peut-être même la vie.

HORS-CHAMP*

Comme Bérénice[1], je suis avalé. Par l'écran trop grand, le son trop fort, le fauteuil trop mou et le popcorn trop salé. Je suis avalé par le cinéma.

Je suis même si bien avalé que, sans défense, j'en perds tout esprit critique, et mes filles cachent difficilement leur honte quand je m'essuie les yeux après une scène débile. Je suis donc un peu ciné-phobe et je me tiens à distance du septième art, lui préférant le théâtre, la musique et la lecture. J'aime pourtant les films de Bernard Émond. Surtout *La donation,* qu'on dit austère, mais que je consi-dère comme son œuvre la plus achevée. On y parle beaucoup de médecine, mais contrairement aux comédiens de *Sacré-Cœur,* les siens n'ont pas eu besoin d'apprendre à mourir, parce que jamais on n'y voit la mort en action. Le cinéaste a compris la même chose que moi : parler de la mort, c'est par-ler des vivants qui demeurent. Pas besoin de voir

---

* Une première version de ce texte est parue dans *Dona-tion. Scénario et regards croisés,* Montréal, 400 coups, 2010.

1. Personnage principal de *L'avalée des avalés,* de Réjean Ducharme.

l'agonie elle-même, qui porte moins de sens qu'on le croit généralement.

Émond exprime aussi avec justesse la nature de l'empathie, dans chacun des échanges entre le médecin et ses patients : « Ça devrait vous soulager », « Portez-vous bien madame Lacroix », « Je vais vous présenter Manon, c'est moi qui l'ai mise au monde ». Soigner, aider, aimer, dans l'âpreté des choses, les gens de cette Abitibi magnifiquement mise en lumière. « C'est austère. Y a beaucoup de gens qui aiment pas ça », dit le vieux docteur Rainville. La relation avec sa communauté est l'histoire de sa vie, comme ce fut celle de mes ancêtres Gaboury, partout où ils pratiquèrent. Le docteur Rainville a mis au monde la plupart des villageois et a vu mourir nombre de ceux qu'il avait aidés à naître.

Arrivé au crépuscule de sa vie, il reconnaît que son métier en valait la peine : « J'avais l'impression d'être utile ; les gens ont besoin d'un médecin. [...] Là-bas, j'ai comme le sentiment d'avoir été à ma place. » Une courte visite à Montréal permet de mieux comprendre son exil en Abitibi : la mort de sa femme à 28 ans, des suites d'un accouchement. L'épitaphe sur sa tombe est de Paul Éluard : « Toute caresse / Toute confiance / Se survivent ». Sa femme lui a laissé un fils handicapé, coupé du monde, qu'il a choisi à regret de placer en institution. On voit que le passé n'est pas loin quand il annonce à une femme le décès de son vieux mari :

— Il est parti.

— J'aurais voulu qu'on parte ensemble.

— C'est ce qu'on souhaite avec les gens qu'on aime.

Hanté par ses souvenirs, le bon docteur Rainville voit un jour arriver une jeune femme médecin, Jeanne, qui cherche autant à retrouver le sens de son métier que celui du reste de sa vie. Elle comprend qu'il ne suffira pas d'être efficace, de sourire, d'être attentive ou touchée ; le vieux médecin l'a d'ailleurs avertie : « Ce sera assez différent de ce vous avez connu dans les urgences de Montréal ; il y a pas mal moins d'action. » Elle devra s'engager et franchir la distance qui la sépare des autres : « Je sais pas si je suis capable d'être aussi proche des gens. [...] Dans une grande urgence, on est... on est en dehors de la souffrance des gens. »

Le docteur Rainville se trouve lui aussi à la croisée des chemins, et hésite entre continuer sa pratique et se retirer ; il laisserait en ce cas son cabinet à Jeanne. Mais la mort va trancher. Jeanne constatera son décès, ce qui la poussera dans ses derniers retranchements : doit-elle accepter ou non le legs de la pratique, du bureau médical et des patients ? Doit-elle accepter la donation ?

Dans ce film, la mort se manifeste par en dessous. On ne voit pas les enfants au chevet de cette jeune mère terrassée par le cancer – mais on sait qu'ils s'en viennent ; ni le viol sauvage de la jeune fille – mais on sait qu'il vient d'avoir lieu ; ni sa mort consécutive – mais on assiste à toute la colère de Jeanne.

Ce que le cinéaste a bien compris, c'est que la mort n'existe que pour les vivants. Il s'attarde à ce qui arrive après la mort et entre les événements, plutôt qu'aux drames eux-mêmes, construisant son récit à partir des réactions plutôt que sur les scènes d'action. Ainsi, quand les hommes du village retrouvent les enfants disparus dans la carcasse d'un autobus abandonné, Émond, au lieu de mettre en gros plan le pathos, éloigne la caméra, nous laissant à peine deviner les silhouettes et entendre les mots. Il nous démontre que l'essentiel est dans ces silences, ces regards et ces petits gestes de la vie ordinaire, auxquels il rend hommage, dans cette œuvre épurée, avec les dialogues retenus, les décors sobres, les couleurs délavées et le jeu concentré de ses acteurs.

La donation illustre une vérité essentielle, que j'essaie d'enseigner à mes étudiants : le métier de médecin se bâtit sur les moments d'observation, d'écoute attentive et de silence respectueux. Même dans le brouhaha de l'urgence, ce qui compte vraiment survient dans l'intimité, lorsqu'on se trouve au plus proche de la souffrance, des peines et des joies, partageant un peu de la gravité lumineuse de l'existence.

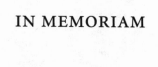

IN MEMORIAM

LES FLEURS D'ANGELA

Il s'est effondré comme une masse après le souper. Angela a crié, s'est jetée sur lui et l'a secoué fortement. Sans succès.

— Papa !

Elle est sortie de la maison pour appeler son frère, qui a gravi l'escalier en vitesse, prévenu les secours, retourné l'homme sur le dos et commencé le massage cardiaque. La tante est revenue lentement vers la maison, puis elle s'est mise à hurler sans arrêt quand elle l'a vu, virant sur elle-même. Cinq minutes plus tard, deux paramédics ont fait irruption, constaté l'arrêt cardiaque, poursuivi le massage, installé le moniteur, donné deux chocs et intubé le patient. Mais le pouls n'est pas revenu.

Ils ont placé le patient sur une civière avec l'aide des pompiers. Après avoir descendu avec difficulté l'escalier en colimaçon, ils l'ont installé dans l'ambulance. Puis, ils ont quitté les lieux, le fils assis à l'avant du véhicule, pendant qu'on poursuivait la réanimation à l'arrière, malgré les cahots, les virages brusques et la chaussée trouée de cratères. La fille suivait en voiture avec sa tante.

Prévenus de l'arrivée du patient, nous préparons la salle de réanimation quand l'ambulance aboutit dans le stationnement. Les paramédics franchissent la porte d'entrée en coup de vent. Ils sont immédiatement dirigés en salle de choc. Je fais interrompre le massage une seconde. Le moniteur montre une ligne droite. On transfère le patient sur notre civière, on reprend le massage, on installe deux solutés, on injecte l'adrénaline et on branche notre moniteur cardiaque.

Dix minutes plus tard, rien n'a changé et le cœur du patient ne réagit pas. Après 45 minutes d'asystolie, il ne faut plus espérer le retour d'un pouls et encore moins le réveil d'un cerveau terrassé par le manque d'oxygène. Il va mourir, à 67 ans. Nous le savons, la famille s'en doute aussi. Je les rencontre une première fois dans le couloir pour obtenir plus d'information, leur expliquer les traitements en cours et tenter de les réconforter. Une infirmière les accompagne ensuite au local de consultation, où ils vivront leur détresse à l'écart des autres patients. Plus tard, quand je retourne auprès d'eux, je leur demande s'ils souhaitent voir leur père durant la réanimation. La fille ouvre grand les yeux.

— On peut?

— Si vous vous en sentez capables.

— Oui, je veux le voir.

Je l'informe des soins en cours. Toujours en arrêt cardiaque, l'homme est soumis aux traitements brutaux de la réanimation: massage rapide qui fait craquer les côtes, ventilation par un tube fixé au visage, solutés où l'on injecte régulièrement les médicaments, prises de sang et sécrétions diverses que l'on aspire. Ses yeux entrouverts laissent voir un regard terne un peu étrange. La jeune femme ne remarque rien de tout cela et s'approche, sous le regard ému de l'équipe. Elle colle longuement sa joue contre la sienne, lui flatte les cheveux et murmure à son oreille des mots qui se perdent dans le tumulte.

Sur l'échelle du stress, la mort d'un proche trône au sommet et laisse souvent des séquelles. Il est bien connu que la présence des parents durant la tentative de réanimation de leur enfant est souhaitable pour faciliter le deuil et j'ai toujours cru que cela s'appliquait aussi aux patients adultes; ceux qui vont perdre quelqu'un savent ainsi ce qui se passe dans notre salle de choc. Autrement, l'imagination vagabonde.

La présence des proches pendant la réanimation est toutefois un défi pour l'équipe. Nous sommes plus habitués à travailler entre nous. À moins d'un contexte bouleversant – enfant, agression ou encore le fait de réanimer une connaissance –, les soins prodigués lors d'un arrêt cardiaque sont plutôt techniques et ne suscitent pas d'émotions intenses. Il s'agit après tout d'un corps inerte, que l'on tente de ramener à la vie. Mais cette jeune femme en pleurs auprès de son père chamboule tout le monde. Nos soins de réanimation coexistent alors avec sa tristesse intense, ce qui n'est pas évident. J'interromps un moment la réanimation pour l'aider à mieux comprendre ce qui se passe.

— Voyez le moniteur. Le cœur ne bat pas.

— Papa... S'il te plaît...

— Et il ne respire pas.

— Respire... Reviens... Papa!

217

Cette ligne droite et l'absence de respiration spontanée parlent d'elles-mêmes. J'ai toutefois un collègue qui, pour être encore plus explicite, montre aux proches l'immobilité cardiaque en utilisant l'échographie, la comparant avec l'image active de son propre cœur.

Après avoir redémarré la réanimation, je laisse tout son temps à la fille. Puis, je la raccompagne dans la salle d'attente. J'ai l'impression que ce contact lui a permis de cheminer un peu. Elle serre dans ses bras son jeune frère, qui vient passer à son tour un moment dans la salle de choc. La tante ne souhaite pas venir et je respecte ce choix. Quant à la femme du patient, elle est décédée voilà bientôt trois ans, d'un cancer du sein.

Je retourne auprès de l'homme. Nous poursuivons nos soins pendant quelques minutes, puis je mets un terme à la réanimation. Le moment choisi est toujours un peu arbitraire et dépend de l'inspiration du médecin responsable.

Ma prochaine rencontre avec la famille est réservée à l'annonce du décès. Ce moment crucial marque pour eux la fin de tout espoir et le début du deuil ; pour moi, c'est la fin de mon rôle de réanimateur, et celui d'accompagnateur prend encore plus d'importance. La douloureuse annonce passe par des mots simples : « Je dois malheureusement vous annoncer son décès. » Puis, c'est l'expression un peu convenue de mes condoléances : « Je dois maintenant vous offrir mes sympathies », autre rite de passage.

Le corps de l'homme est déplacé dans l'ancienne salle de choc, au fond de l'urgence, où la famille vient le veiller. Durant l'heure qui suit, des pleurs étouffés et quelques cris nous parviennent. Lorsqu'ils en sortent plus tard et reviennent vers nous, le frère et la tante soutiennent maintenant la jeune fille, dont la démarche est chancelante. Nous terminons les formalités et répondons aux dernières questions. Ils nous remercient et s'en vont. Le corps est transporté jusqu'à la morgue.

Le lendemain soir, à mon arrivée, j'aperçois un immense bouquet de fleurs, explosion de couleurs posée sur le comptoir de l'urgence. Intrigué, je prends la carte toute simple, sur laquelle je peux lire : « Merci, pour tout. Angela. »

LES YEUX D'ELSA

La vieille dame, assise bien droite dans la salle
d'examen, m'attend sans dire un mot. Sa fille, elle-
même âgée, lui tient les deux mains. Sur l'écran de
la salle d'attente défile un mauvais téléroman, dont
le son est heureusement coupé. Je referme la porte
et m'assois face à elles.

— Qu'est-ce qui est arrivé?

— Je venais de mettre un sac sur la galerie. Je
suis tombée en rentrant, puis la porte m'a coincé la
jambe. Il m'avait dit de pas faire ça.

— Et il a fait quoi, ensuite?

— J'entendais le bruit de sa canne.

— Il vous a parlé?

— Il a crié: « Elsa! » Il a tiré pour me décoincer,
ça a marché. Mais je pouvais plus me lever.

Pendant que la dame raconte, elle fixe le mur
derrière moi.

— Ça vous fait mal, ici?

— Non, pas trop.

Une ecchymose au-dessus de la cheville, un peu
de douleur. Pas de signe de fracture.

— Et ensuite?

— Il s'est assis dans le fauteuil, il m'a dit encore une fois: «Elsa.» Sa voix était faible. Ensuite, il parlait pas, mais il respirait fort. Puis ça s'est calmé.

— Il ne parlait plus?

— Je me suis traînée au fauteuil, j'ai pris sa jambe, je me suis levée. Sa bouche était ouverte, il bavait. Mais il bougeait pas. J'ai crié, ma fille est venue.

Sa fille Marie lui masse doucement les mains.

— Et ensuite?

— L'ambulance est arrivée, ils ont cogné à la porte. C'était pas barré, ils sont rentrés. Ça a brassé, après.

Elle ferme les yeux.

— C'est ma faute.

— Maman, c'est pas toi.

— Est-ce qu'il va mieux?

— En fait, pas très bien. Je vous laisse un moment avec votre fille, je retourne le voir et je reviens tout de suite, d'accord?

— Il fallait pas qu'il force.

Je retourne dans la salle de choc. Le vieillard est couché sur la civière, entouré de l'équipe. Le préposé lui masse vigoureusement la poitrine, l'inhalothérapeute insuffle de l'oxygène, les infirmières injectent des médicaments et mon résident dirige la réanimation:

— On lui redonne une adrénaline, on continue de masser!

Le résident se retourne vers moi, pointant du doigt le moniteur cardiaque.

— Asystolie[1]. Ça fait 40 minutes depuis la maison. On arrête?

— Je vais retourner voir la famille, continue un peu.

Trop âgé, trop malade, trop de délais, aucune réaction aux traitements. Le cœur n'a pas résisté à l'effort demandé. Je jette un coup d'œil au dossier. Dans sa plus récente note, le cardiologue écrit que son patient travaille encore chaque jour au jardin. Je retourne parler aux deux femmes. La plus vieille fixe encore le mur.

— Il va comment?

— Pas très bien. Vous savez, quand l'ambulance est arrivée...

— Il fait une crise de cœur?

— ... son cœur ne battait pas. Les paramédics ont donné les bons soins, mais le cœur n'est pas reparti.

Je parle lentement, pour être bien compris.

— Et quand il est arrivé ici, son cœur ne battait toujours pas. Maintenant, on fait tout ce qu'on peut, mais...

— Son docteur lui avait dit de pas forcer.

— ... mais il faut que je vous dise... qu'il n'y a pas trop d'espoir.

— Mon Raymond.

— Je me demandais... Voulez-vous le voir, pendant qu'on fait la réanimation?

La dame dit, faiblement:

— Non.

— Et vous?

<hr />

1. Ligne droite sur un moniteur cardiaque, signifiant une absence complète d'activité cardiaque.

— Je vais rester avec ma mère.

La fille me regarde avec insistance, pointe le visage ridé d'Elsa et fait un signe que je ne comprends pas.

— Je retourne avec lui, je vous redonne des nouvelles.

Dans la salle de choc, où la routine des soins de réanimation continue, le résident m'informe :

— Toujours rien.

— Il ne se passera rien.

— On arrête ?

— Déclare-le.

— Moi ?

— C'est toi le médecin.

— Je... OK tout le monde, on arrête.

Pendant que l'équipe interrompt les gestes de la réanimation, il essaie de prendre le pouls à la carotide.

— Alors, l'heure du décès... 19 h 32. C'est tout ?

— C'est bien assez.

Le massage est interrompu, l'inhalothérapeute ne ventile plus, l'infirmière éteint le moniteur cardiaque et le préposé essuie le patient. Le résident, figé, regarde la scène, ému et un peu gêné. C'est la première fois qu'il dirige une réanimation, le premier mort qu'il déclare et il trouve bizarre d'avoir choisi l'heure du décès, parce que ça aurait pu être quelques minutes plus tard ou plus tôt.

Je retourne auprès des deux femmes. Je dois leur annoncer que l'homme qu'elles aiment ne reviendra pas.

— Alors ?

— Son cœur ne répond toujours pas aux traitements.

— On s'est marié en 1942...

Elle interrompt sa phrase et ravale difficilement sa salive.

— Je regrette. Je peux juste... vous annoncer
son décès, maintenant. Je suis vraiment désolé.

Elsa ne bouge pas.

— Je vous offre mes sympathies. À toutes les
deux.

La fille prend sa mère par les épaules.

— Vous allez pouvoir venir le voir.

Leurs yeux se remplissent de larmes, mais le
regard de la plus vieille est toujours fixe et...

Comment n'avais-je pas compris?

— Est-ce que vous voyez bien?

— Ma mère est aveugle. C'est mon père qui
s'occupait de tout.

Elle me sourit tristement.

— Vous savez, mon père...

— Oui?

— C'était Superman.

LE SOUPIR DE LAURA

Un-deux-trois, quatre-cinq-stop, inspiration, expiration, inspiration, expiration. Et ça recommence.

À chaque pression appliquée sur le thorax, les
côtes frêles craquent, marquant cinq temps assez
brefs, suivis d'une pause. La ventilation par ballon
ajoute trois temps pour l'insufflation, trois temps
pour l'expiration, le tout répété deux fois. À chaque
poussée d'oxygène, la valve de l'appareil couine,
marquant un contretemps. Et le cycle reprend. Cela
dure depuis déjà quelques minutes.

Laura n'a aucune chance de s'en sortir. À
87 ans, elle vient d'être amenée par les paramédics après une syncope au centre d'achat. Elle
était seule et s'est effondrée devant le magasin de
la couturière. Les secours ont été appelés et les
paramédics, qui se trouvaient juste en face, sont
venus en vitesse ; ils ont constaté l'arrêt cardiaque
et commencé la réanimation, demeurée sans
effet. Ils ont donc poursuivi le massage cardiaque
jusqu'à l'urgence.

À cet âge, les chances de survie sont pratiquement nulles. Défiant la loi de la probabilité, nous
appliquons tout de même les soins dits avancés, plus
ou moins futiles dans le contexte, poursuivant cette

ultime tentative. L'équipe exécute ces gestes routiniers. Aucun choc n'est donné, parce que sur le moniteur cardiaque, il n'y a qu'une ligne continue. De manière générale, un choc ne sert qu'à interrompre l'électricité chaotique d'une arythmie maligne, diagnostiquée par une ligne désordonnée sur le moniteur. Quand il n'y a pas d'activité électrique, le choc ne sert à rien.

Nous poursuivons la réanimation. Un-deux-trois, quatre-cinq-stop, inspiration, expiration, inspiration, expiration. Et on recommence. En comptant mécaniquement dans ma tête, je prends conscience, un peu mal à l'aise, de la rythmique ; on dirait une valse. Peu à peu, chacun réalise que nous formons un orchestre un peu morbide. Dans les cours de réanimation, on enseigne qu'il faut masser le cœur au rythme de *Staying Alive,* des Bee Gees, que nous chantons alors souvent à tue-tête ; mais nous ne sommes pas en cours.

À un moment, l'inhalothérapeute insuffle une fois de trop, ce qui casse le rythme. Surpris, le préposé prend une pause un peu plus longue durant son massage cardiaque. On a l'impression que le refrain se fait attendre. Finalement, quand le massage reprend, on retrouve le même rythme. Nous pouvons difficilement réprimer un sourire coupable.

L'infirmière m'informe que la nièce, qui vient d'arriver, m'attend dans le couloir. Je demande que l'on continue les manœuvres. Puis, comme un comédien avant l'entrée en scène, je me compose un air grave et vais la rencontrer. Je pensais la trouver ébranlée, elle est au contraire bien calme. Je lui raconte tout ce qui est arrivé, depuis la syncope au centre d'achat, jusqu'à maintenant.

— Comment va ma tante Laura ?

— Toujours en arrêt cardiaque.

— Vous la laissez pas partir ?

— On essaie de la réanimer, mais ça ne fonctionne pas.

— Vous pouvez arrêter.

— Pourquoi ?

— Elle a un cancer... Elle demande chaque jour au Bon Dieu de venir la chercher.

— Vous êtes certaine ?

— Elle est prête.

— Alors... C'est bon.

— Merci.

Je retourne dans la salle, où l'équipe a continué son travail. Je fais cesser le massage cardiaque et la ventilation. La ligne est toujours plate sur le moniteur. L'inhalothérapeute débranche l'appareil de ventilation.

L'air sortant des poumons produit comme un soupir.

Puis, c'est le silence.

LA RETRAITE DE NICOLAS

Il est près de minuit, c'est la veille du jour de l'An, mais personne n'a le cœur à la fête. Un homme gît sur la civière de la salle au fond. Il a les yeux entrouverts et sans expression. À 62 ans, ce technicien en machinerie lourde est un travailleur acharné et un bon père de famille.

En novembre, il a confié à sa fille que la retraite le tuerait. Souffrant depuis trois jours de malaises qu'il refusait de prendre au sérieux, il a levé le ton quand sa femme a proposé de le conduire à l'hôpital. Même hier, quand les douleurs à la poitrine augmentaient, accompagnées de vomissements, d'étourdissements et de faiblesses, il n'a pas voulu consulter.

— C'est rien, ça va passer.

— Il faut aller à l'hôpital, Nicolas.

— Ben non, c'est pas nécessaire.

Tout le monde à la maison s'inquiétait. Sa femme pestait contre lui. Ce matin, son état s'étant amélioré, il avait repris ses travaux de rénovation. Mais en fin d'après-midi, les douleurs et les vomissements sont revenus. Quand il est remonté du rez-de-chaussée, il a poussé un long cri :

— Hostie, j'vas mourir !

Et il s'est effondré devant sa femme, qui a saisi le téléphone et composé le 911, tout en continuant à le chicaner. Les soins des paramédics n'ont rien donné. Quand j'ai examiné le patient, il n'avait toujours aucun pouls ni respiration spontanée. Nous avons tout tenté, sans effet. J'ai prononcé le décès. Ensuite, le personnel a nettoyé le corps, qu'ils ont placé sur une civière propre et transféré dans une petite salle en retrait.

La famille se recueille maintenant auprès de lui. Sa femme, toujours en colère, se reproche aussi de n'avoir pu le convaincre de consulter à temps. Elle pleure, serre ses deux enfants dans ses bras, embrasse le corps, me repose les mêmes questions, essaie de comprendre, puis recommence à l'enguirlander pour n'avoir pas voulu l'écouter. Je lui dis que j'ai vu beaucoup d'hommes nier leurs symptômes et arriver trop tard à l'urgence. Certains accourent à la moindre alerte, tandis que d'autres s'y refusent obstinément malgré l'évidence.

Quand je reviens plus tard dans la salle, la mère ne parle plus ; elle caresse doucement les cheveux et le visage de son mari. La fille sanglote à la fenêtre. Le fils marche lentement dans la salle. Il console alternativement sa mère et sa sœur, me demande quelques informations et refoule ses larmes. Il a pris les choses en main.

En fin de soirée, quittant l'urgence, la fille me remercie et me confie, avec un début de sourire, que personne ne pouvait faire changer d'avis son père quand il avait une idée en tête, mais elle s'interrompt au milieu d'une phrase, comme si elle venait de réaliser quelque chose.

— C'est le 1er janvier demain... Le premier jour de sa retraite.

LE FRONT DE SASHA

En cette fin de soirée, l'urgence est redevenue calme. On a réduit l'intensité de la lumière afin de permettre aux patients de se reposer. Dehors, quelques voitures passent encore. C'est l'anniversaire d'Hélène, médecin de garde, mais elle n'a pas le cœur à fêter.

Elle sort de la salle de choc. Un homme l'attend à côté de la porte, entouré par sa famille, très nombreuse, et ses amis. Hélène interrompt ses pas et l'observe un moment. Dans la quarantaine, d'allure méditerranéenne avec ses cheveux noirs gommés, il est de taille moyenne, habillé modestement. Se tenant bien droit, son paletot sur le bras, il soutient sans ciller le regard du médecin. Puis, il se tourne en silence, demeure un moment immobile face à l'entrée des ambulances, par où les paramédics sont arrivés une heure plus tôt.

Hélène fait quelques pas, mais l'homme s'éloigne après lui avoir jeté un bref regard, comme s'il ne se sentait pas concerné. Il se dirige vers le couloir conduisant à la chapelle. Derrière la vitre de son bureau, l'agent de sécurité l'observe. La téléphoniste lève aussi les yeux, interrompant son appel. L'homme avance lentement, comme dans un musée, examinant le décor, les panneaux électriques, la boutique des bénévoles, les casiers du courrier. Son visage ne trahit aucune émotion. Passé le hall d'entrée, face aux fenêtres, il s'arrête à nouveau, et Hélène ralentit sa marche.

Il se retourne et la dévisage encore une fois. Comme si de rien n'était, il reprend sa visite attentive. Après quelques pas, juste devant la chapelle, il semble vaciller et s'appuie sur le mur. Il essaie de marcher, mais il en semble maintenant incapable. Alors, comme une statue de boue fondant sous la pluie, il s'affaisse lentement, poussant un gémissement de douleur infinie.

Se retrouvant presque en position fœtale, l'homme garde les yeux clos et ne bouge plus. Hélène s'approche et lui tend une main. Après un moment, il la saisit. Elle l'aide à se relever. Debout, l'homme se met à trembler, comme si les jambes allaient de nouveau céder. Son visage décomposé ressemble à celui d'un vieillard. Elle le prend par les épaules, et le serre un moment dans ses bras. Ensemble, ils retournent vers les lumières de l'urgence, repassent devant la téléphoniste, le gardien de sécurité, la famille toujours silencieuse, et le personnel, qui observe la troublante scène depuis le début.

— Vous êtes prêt ?

L'homme ne répond pas. Après un moment, Hélène appuie sur le bouton d'ouverture. La porte de la salle de choc glisse vers la droite. La pièce est plongée dans la pénombre. Ils vont jusqu'à la civière, où repose une forme humaine. L'homme porte lentement sa main au front de l'adolescent et lui caresse les cheveux.

— Mon bébé.

Le front est froid. Sasha ne respire pas.

TESTAMENTS

PRIÈRE

J'ai tellement vu mourir.

Jeunes, vieux, nouveau-nés ou femmes enceintes, malades ou malchanceux, surpris en plein jour ou durant leur sommeil, visages tachés par les lividités, membres fondus au feu ou cœurs transpercés de poignards.

Ils sont morts derrière le comptoir d'une cuisine, sur le balcon d'un grand hôtel, au sous-sol d'un appartement miteux ou à l'urgence.

Un soir, au fond d'une garde-robe, un homme âgé me fixe, le visage bleu ; les glaires suintent par une strie profonde creusée à son cou.

Ces corps demeurent à distance, ne dévoilent rien, ne démontrent rien, n'enseignent rien par eux-mêmes.

Mais la détresse des familles me réapprend chaque fois la tragédie humaine.

Au chevet de son mari gisant, une vieille femme n'est plus que douleur, blessure et vide.

Je pose ma main sur son épaule frêle.

Cette main est ma prière.

A LOVE SUPREME

Allongé sur le divan du salon, les yeux fermés, je termine ma bière et mange une carotte. Le chat dort dans son fauteuil. C'est dimanche, par un après-midi d'hiver tranquille. Comme il n'y a personne à la maison, la musique joue à fond.

Le solo de John Coltrane me transporte jusqu'à Harlem, au Audubon Ballroom, où McCoy Tyner déclinait ses riffs modaux, Elvin Jones roulait ses tonnerres polyrythmiques sur sa Gretche et Jimmy Garrison faisait pulser sa contrebasse hypnotique.

C'était en décembre 1964. Là où Coltrane s'époumonait, Malcolm X allait être tué quelques mois plus tard, d'une balle de fusil dans le ventre et de 21 coups de révolver, tirés par Norman 3X Butler, Thomas 15X Johnson et Talmadge Hayer.

Un morceau de la carotte passe tout droit et se loge dans le fond de ma gorge. Je tousse pour dégager l'intrus. Mais ça ne fonctionne pas. Je m'assois. Connaître par cœur l'anatomie des voies aériennes ne m'est d'aucun secours. Ma compagne dit souvent que je ne mâche pas assez, moi je pense que je suis un peu distrait.

Je me lève et je marche avec précaution vers la cuisine. Il faut que je respire. Doucement...

Non! Ça s'enfonce. Ça bloque! Je tousse –
mais c'est un filet de toux: pas de son, pas de voix.
J'essaie d'inspirer, c'est comme si je ne savais plus
comment.

Oxygène.

Je suis un lièvre qu'on égorge. Ma cage thoracique brûle, mon cœur bondit, mes oreilles
bourdonnent.

J'aperçois brièvement mon visage cramoisi
dans le miroir.

Ma vue se voile. Bientôt l'arrêt cardiaque. Mon
cerveau va fondre. Je crève comme un con. Dix
secondes pour agir. Je ne peux pas crier, ni télé-
phoner, ni sortir.

Heimlich! Je pousse à deux mains sur mon
estomac. Mais je suis sans force et ça n'a pas d'effet. Je titube. Que faire?

Le comptoir de la cuisine, où j'ai posé le beurre.
C'est ma dernière chance.

Viser l'estomac.

Je bondis.

Mouvement.

Douleur.

Je suis aspiré par la lumière blanche du plafonnier.

Rien.

La dernière image vue détermine la beauté du
monde

LA CRÉATION DU MONDE

Longtemps je me suis couché dans le beurre.

C'est quoi, ce bruit.

Un roulement de tambour.

Elvin Jones, le solo de *Pursuance.*

Est-ce que j'ai dormi.

Je respire difficilement.

J'ai soif.

« L'eau n'est pas essentielle à la vie. Elle est la vie[1]. »

J'ouvre les yeux. Voilà le monde.

Le soleil va bientôt disparaître derrière les arbres. Sur le plancher, un morceau de carotte baigne dans le beurre fondu.

Je me traîne avec peine jusqu'à l'évier. Mon corps me fait mal. Mes bras tremblent. Un spasme me noue l'estomac.

Autour de moi, tout est calme.

L'eau tiède me fait du bien.

J'ai la tête qui tourne.

Je m'étends à nouveau et referme les yeux.

Tout est aboli.

« Ce n'est rien ! J'y suis ! J'y suis toujours ! »

---

1. Antoine de Saint-Exupéry.

À LIRE QUAND VOUS AUREZ 30 ANS[*]

Je ne connaissais rien du chemin conduisant jusqu'à vous.

Moi, avoir des enfants? Sachant à peine être un bon fils, comment pourrais-je devenir un père? Où apprendrais-je quoi faire, quoi dire, comment agir, quand froncer les sourcils, quand rire, pourquoi sévir et quand pleurer? Tout cela m'apparaissait hors de portée.

Mais votre mère voyait plus clair en moi. Elle savait que tout se passerait bien et ne s'est pas tellement trompée; elle m'a surtout donné le courage nécessaire. Vous lui devez la vie.

Et par une belle nuit d'août 1993, par toi, Daniel, je suis devenu père; deux ans plus tard, Maude, tu arrivais; trois années de plus et c'était toi, Anaïs.

Il vous en a fallu aussi, du courage, pour quitter le calme de la matrice maternelle. Quand vous m'avez rejoint dans le monde, le passé s'est confondu avec l'avenir.

---

[*] Une première version de ce texte est parue dans Sophie Rondeau (dir.), *Lettre à mon enfant*, Montréal, Éditions de Mortagne, 2012.

Je vous tenais d'une seule main, votre tête reposant au creux de ma paume, votre petit corps lové sur mon avant-bras. Je voyais cette étincelle dans vos yeux, dont je surprends aujourd'hui des reflets lointains. De jour comme de nuit, je vous dévorais des yeux, je vous cajolais, je vous caressais, je vous chatouillais, je vous embrassais et je vous aimais. Vous aviez réinventé l'idée de la beauté.

Ce comique à la chevelure éparse qui vous a trimballés tout de suite à l'urgence pour vous présenter à ses amis, sous les regards réprobateurs d'infirmières aussi inquiètes des microbes que charmées par vos mimiques, c'était moi.

J'étais devenu un passeur, maillon d'une chaîne ancienne s'allongeant maintenant jusqu'à vous.

Peu à peu, j'ai appris cet étrange rôle du père, auquel je n'avais jamais cru, et que je joue depuis tous les jours, dans une pièce qui ne quitte plus l'affiche.

J'ai survécu aux moments difficiles, à l'insomnie, au « non » précoce, aux aléas de la scolarité, à la troublante adolescence et aux rencontres un peu pénibles avec des directrices mécontentes ou des constables plus ou moins souriants. Il y avait souvent de l'inquiétude et parfois un peu de découragement.

Je me suis souvent demandé si j'étais un bon père. Parce qu'on est père comme on est dans la vie, imparfait, impatient et vulnérable. J'ai été de mauvaise humeur, je me suis emporté de temps en temps, j'ai été absent, pas tant physiquement qu'en pensée, trop occupé par ma réalité professionnelle, pourtant incommensurable avec ce que vous représentez.

Mais jamais, pas une seconde, je n'ai regretté cette aventure avec vous et votre mère. C'est ma vie.

Aujourd'hui, l'adolescence est déjà bien avancée, la vie nous transforme et l'équilibre familial vacille. Mais nous graviterons autour d'un centre, dont il restera toujours quelque chose.

Faire le deuil de votre enfance n'est pas facile, mais j'y arriverai. Parce que je sais que vous ne changerez qu'en apparence et que l'essentiel de notre relation persistera, même si les jours fileront de plus en plus rapidement, que vous vous en irez de par le monde et que vous aurez bientôt assez peu besoin de moi.

Certains de mes amis ne voulaient pas d'enfants, dans ce monde inquiétant, avec ses folies, ses guerres et ses dérives. Pourtant, nous n'en sommes pas au bout ; parce que l'époque est malgré tout la plus riche de la vaste histoire humaine et que dans notre coin du monde, nous vivons mieux que nos ancêtres.

J'espère qu'à votre tour, vous y vivrez mieux que moi. Même si j'ai parfois des doutes, surtout la nuit quand je m'éveille, saisi d'une inquiétude, songeant à cet avenir précarisé par les menaces écologiques, économiques, sociales et politiques.

Je ne peux pas vous mentir, je ne peux rien vous promettre, je ne peux qu'espérer pour vous un monde aussi clément qu'il le fut avec moi. Le reste vous appartient et il vous faudra trouver de nouvelles réponses.

En attendant, continuez de grandir, de mûrir et d'espérer ; ne cessez jamais de lutter pour ce qui est juste ; donnez un sens à votre vie ; rendez-la digne d'être vécue ; réapprenez chaque jour ce que vous croyez déjà savoir. Et surtout, n'oubliez jamais de poser un regard ému sur ceux que vous aimez. Parce que demain, ils ne seront plus avec vous. Comme des poussières accrochées à une roue, ils s'en détacheront sans bruit.

Il faut apprécier la vie dans cette fragilité, plus précieuse que toutes nos certitudes.

Depuis la mort de Pierre, ce grand-père que vous aimiez tant, je le comprends mieux. Lui-même m'avait amoureusement porté. Puis, j'avais appris avec ses mots, ses regards, ses sourires et ses tours de magie un peu de l'essentiel de ce qu'il faut savoir dans une vie.

Je vous revois, au chevet de son grand lit d'hôpital, quand vous serriez tendrement sa main et caressiez son visage. Vos larmes disaient bien à quel point il comptait. Un jour, vous en verserez sans doute aussi pour moi, avant que je rejoigne le monde abstrait de vos souvenirs. C'est que le temps roule et que l'avenir est déjà là.

Je l'ai bien senti l'autre fois en berçant Mikaël, mon petit-neveu, ses « non » sonores réfutant chacune de mes phrases vaines. Élysa, ma petite-nièce, lui répondait par de souverains éclats de rire.

Quand je ne serai plus là, accompagnez-les, apprenez-leur à ne pas oublier ceux qui les ont aimés, poursuivez le travail essentiel des passeurs.

C'est à vous, dorénavant, de vivre et d'avancer. Et un jour, vos enfants seront peut-être près de moi.

Rappelez-vous qu'ils ne vivront pas *dans* le monde ; c'est beaucoup mieux : ils *seront* le monde.

Et la lumière de mon épilogue vital.

LA MORT DE MON PÈRE[*]

Emporté par une pneumonie en février 2010, mon père a terminé son parcours par un bel après-midi de mai au sommet du mont Royal, à deux kilomètres de la maison de son enfance. Par-delà l'allée de lilas blancs, les pommetiers fuchsia et la grille noire séparant les cimetières catholique et protestant, on peut admirer une foisonnante verdure, dont le bruissement couvre les murmures de la ville. Après les témoignages, la douce musique jouée par ma nièce et un moment de recueillement, nous avons mis en terre les cendres, puis comblé la fosse, émus et pensifs. La mort continuait de nous transformer doucement.

Mon père aurait apprécié la simplicité de son épitaphe: «Pierre Vadeboncoeur. 1920-2010. Écrivain.» Lui-même burinait la pierre à l'occasion. Au chalet, des gravures montrant le visage de ma mère et les énigmatiques «New York» et «Qui est le chevalier?» tracés sur de grosses pierres, témoignent de cette vocation mineure.

---

[*] Une première version de ce texte est parue sous le titre «Lapin-tortue», *L'Action nationale,* mai-juin 2010.

J'avais déjà souhaité que mes cendres soient dispersées sur le lac de mon enfance, mais j'ai compris ce jour-là que le retour à la terre avait plus de sens. J'ai donc réservé le lot d'en face pour que notre dialogue se poursuive en silence, du moins jusqu'au prochain mouvement tectonique. Je n'ai cependant pas donné suite à ce projet, me trouvant trop jeune pour préparer ma retraite souterraine.

Quelques mois plus tôt, à la mi-février, mon père avait été exposé bien malgré lui au salon mortuaire. L'écrivain dont la vie s'était refermée comme un livre souhaitait se soustraire à la vue des quidams. Déjà qu'il refusait toute prise de photo, agitant les mains devant l'objectif pour empêcher l'affront, s'imaginer dévisagé après trépas lui répugnait. C'était compter sans la distraction des thanatologues. Arrivé le premier, je suis tombé sur l'homme, gisant dans un grand cercueil ouvert; les mains jointes, bien habillé comme à son habitude, il affichait toutefois un hâle orangé qui l'aurait étonné. Il semblait simplement dormir, comme lors de ses derniers jours passés à l'hôpital. Je suis resté quelques minutes à l'observer, lui ai touché la joue, j'ai pleuré encore un peu et j'ai fait refermer la boîte.

Puis, j'ai proposé de démarrer la projection : une série de photos de mon père à diverses époques accompagnées de citations de son œuvre ultime, *Fragments d'éternité*, sur fond sonore de la *Sonate à la lune*, dont il jouait fréquemment le premier mouvement. Nous avions retrouvé le texte, terminé deux jours avant son hospitalisation, au lendemain de sa mort. Ce testament littéraire ornait maintenant les murs du salon, laissant les visiteurs fort songeurs : « L'homme est en contradiction avec la fatalité. Mortel, il se réclame obstinément de la vie, dans une partie perdue d'avance. »

Son ami de toujours, l'écrivain Yvon Rivard, l'avait joint par téléphone à la veille de son entrée à l'hôpital. Il me raconta plus tard une curieuse histoire. Louangeant ce qu'il venait de relire et dont il avait suivi les étapes de conception, il avait ainsi conclu sa dernière conversation : « Pierre, je ne pense pas que tu puisses aller plus loin que ça. » Croyant commenter l'œuvre, il pressentait plutôt l'avenir de l'homme, comme si les deux allaient bientôt se confondre.

Le second soir, j'aperçus près du cercueil un vieillard amaigri, voûté, immobile, qui pleurait à chaudes larmes. Je reconnus Michel Chartrand, mon parrain, compagnon de lutte de mon père, qui répétait : « Mon ami. J'ai perdu mon ami. » Je l'ai serré contre moi, comme il m'avait jadis réconforté, enfant, après une chute au bord de la rivière Richelieu. C'était troublant de consoler ainsi un homme qui incarnait pour moi, depuis toujours, le courage en personne. Michel est mort quelques semaines plus tard, d'un cancer du rein.

*

* *

Fait peu connu, mon père, qui avait pourtant joui d'une bonne santé, était un grand hypocondriaque. Mais il avait l'hypocondrie rigolarde, ses accès de rire franc agissant comme contrepoids – voire contrepoison – à l'angoisse de la mort. Les dérapages loufoques de nos conversations agrémentaient d'ailleurs nos soupers raisonnablement arrosés. Par exemple, une envolée sur le Grand Siècle – ah, la France! – pouvait trébucher à tout moment sur quelque difficulté langagière, que le *Petit Larousse illustré*, aussitôt réclamé, permettait de régler : orthographe, sémantique, étymologie ou histoire. J'avais moins souvent raison que lui, mais l'issue nous importait fort peu. Nous nous amusions d'autant plus que nous exaspérions femmes et enfants, comme ce soir épique où, deux heures durant, nous avons confronté nos analyses contradictoires des mots «bol» et «plat», grave question. Malgré plusieurs arguments inspirés par le lavage de la vaisselle, rien n'y fit, ce fut un match nul. Notre entourage, nous ayant abandonnés, en avait profité pour nous refiler la noble tâche ménagère, qui ne rebutait jamais mon père. Il faut dire qu'il était resté absolument fermé à la théorie du lave-vaisselle, d'essence bourgeoise, par ailleurs convaincu que le mouvement régulier de la lavette lui inspirait de riches réflexions. Car c'était, bien entendu, un homme de gauche, s'étant consacré toute sa vie à l'écriture et au syndicalisme, après avoir complété sans conviction des études de droit.

Il s'était en cela éloigné de sa propre famille, plutôt libérale de profession et rouge en politique. Je soupçonne qu'une forme d'opposition à son père n'était pas étrangère à ses choix. Remarquable autodidacte, orphelin de père et chef de famille dès 16 ans, mon grand-père paternel, Edmond

Vadeboncoeur, avait travaillé comme garçon de pharmacie tout en poursuivant ses études pour devenir pharmacien. Propriétaire de sa pharmacie avant 30 ans, il participa entretemps à la fondation de l'École de pharmacie de Montréal en 1906, puis devint un homme d'affaires respecté. Il fut nommé président de l'Ordre des pharmaciens du Québec en 1920, année de la naissance de mon père. Mais la crise économique le poussa, comme tant d'autres, à la faillite et mit fin à sa carrière. Il mourut assez jeune. Mon écrivain de père, resté longtemps discret sur cet étonnant personnage, nous a tardivement confié lui vouer une grande admiration.

Mon père nous racontait volontiers, avec force détails, les moments marquants de son passé, surtout ceux rattachés à sa longue carrière à la CSN – amitiés, combats, négociations et grèves –, mais il se projetait de moins en moins souvent dans un avenir qu'il se représentait sombre, entre autres parce que ce pessimiste de nature avait été marqué par nos échecs politiques. Nous discutions de littérature, de politique et quelquefois d'art, mais le plus souvent, notre conversation dérivait sur des anecdotes plus ou moins légères. Nous évoquions aussi les morts en couvrant un large spectre – du général de Gaulle à Picasso, de Jean Lesage à René Lévesque, et de Robert Bourassa à Jeanne Sauvé –, dans tous les registres de l'admiration et de la moquerie. Nous parlions assez souvent de Pierre-Elliott Trudeau, son grand ami de jeunesse, avec qui il avait renoué dans les années 1990 après une longue rupture causée par des choix politiques inconciliables.

Les sujets cliniques demeuraient toutefois à l'index; tout ce qui touchait à la médecine, bien entendu, mais surtout, le tabou suprême: la mort. Nous disposions heureusement d'un vaste répertoire de blagues douteuses pour contourner ces sujets de toutes les manières imaginables. D'ailleurs, à l'exception d'un ou deux amis médecins, aux penchants plutôt intellectuels, à qui il confiait davantage ses angoisses que ses entrailles, il n'aimait pas du tout les médecins et s'intéressait fort peu à leur art. Je me suis donc retrouvé, peu ou prou, son médecin traitant, en contradiction avec les principes de la déontologie médicale, du moins quand apparaissait ce qui ressemblait à une vraie maladie, ce qui était rare, heureusement. Il faut dire qu'il ne me laissait pas beaucoup de choix, parce que durant les dernières années de sa vie, cet homme inquiet refusait de consulter.

En public, il paraissait autrement plus calme, jovial et serein que l'être tourmenté que je connaissais bien. Entouré d'amis, en particulier, souvent plus jeunes que lui et auxquels il tenait tant, c'était un homme comblé, qui oubliait ses tracas. Plusieurs d'entre eux étaient des écrivains. Parmi eux, Yvon Rivard et François Ricard partagèrent systématiquement la gestation de son œuvre, lisant tous ses manuscrits et lui prodiguant des conseils appréciés. Ce profond désir de se réapproprier le monde par l'écriture et de s'y réinventer constituait sûrement un antidote à l'angoisse.

L'écrivain était toutefois pour moi un personnage mystérieux, qui n'évoquait ses travaux que par allusions. Son mutisme était peut-être utile pour que fonctionne sa manière intuitive, portée par la forme, ciblant le sujet en construisant l'objet et réinventant chaque fois le chemin. Il corrigeait ensuite sans fin, jusqu'à ce que le style s'accorde à son propos autant qu'à sa grande exigence. Je ne pouvais assister qu'aux manifestations externes de son travail, greffé sur une routine d'une régularité sans faille. Au chalet, isolé dans sa chambre, bien enfoncé dans son éternel La-Z-Boy, il écrivait trois ou quatre heures tous les matins, à la main, sur de sempiternelles tablettes quadrillées, toujours les mêmes depuis que j'étais petit.

Vers midi, sans doute avait-il faim, il émergeait de l'antre, l'écrivain prenant une pause afin de permettre à l'homme de consacrer quelques heures à la réalité quotidienne. Saluant les enfants, il jetait un coup d'œil au lac, jaugeait les travaux à réaliser – pierres à déplacer, bûches à fendre, émondages divers – et planifiait ses courses de l'après-midi, notamment l'achat rituel des journaux et la mise à niveau de ses modestes réserves de vin. Mon fils Daniel, qui porte le nom du personnage de l'enfant dans *Un amour libre*[1], passait des heures auprès de son grand-père, tour à tour apprenti graveur de pierre, adjoint à la tondeuse, défricheur des sentiers du sous-bois et navigateur automobile. Moi qui n'avais que brièvement connu un seul de mes grands-pères, j'étais comblé de voir grandir une si précieuse amitié.

---

1. Pierre Vadeboncoeur, *Un amour libre,* Montréal, HMH, 1970. Il s'agit d'un récit, portant sur les liens entre un père et son fils. Incidemment, le père, c'était lui, et le fils, c'était moi.

Plus tard dans la journée, mon père allait marcher deux kilomètres. Pas un, ni trois, mais exactement deux kilomètres, comme je le lui avais prescrit, sur le chemin quand il faisait beau, ou sur la galerie dominant le lac si le temps était maussade. Lorsqu'il était à Montréal, il se promenait dans le cimetière ou ailleurs sur le mont Royal, notamment autour du lac aux Castors, où il avait développé avec ma mère une technique originale : comme elle marchait deux fois plus vite que lui, ils partaient en sens contraires et se croisaient régulièrement. Par grands froids, pour éviter le rhume, il arpentait plutôt les vastes corridors de son immeuble, changeant souvent d'étage pour donner aux voisins l'impression qu'il allait quelque part. Il n'aimait pas cette routine essentielle car il n'était ni sportif ni même un marcheur naturel ; mais comme patient, il savait appliquer les prescriptions, suivant d'autant mieux mes conseils qu'il craignait avoir à se trouver un autre médecin s'il s'en écartait.

Il marcha ainsi tous les jours, jusqu'à la veille de son entrée à l'hôpital, un vendredi de janvier 2010. Ce jour-là, arpentant les couloirs, il avait remarqué un essoufflement inhabituel en montant les escaliers. S'étant limité à un seul kilomètre, il avait prestement téléphoné à son médecin, qui n'était pas à la maison. Ma compagne infirmière prit donc l'appel à ma place. Même si mon père minimisait ses symptômes et insistait surtout pour être rassuré, autre chose que son habituelle angoisse transparaissait :

— Non, non, ça ne m'inquiète pas.

— Mais alors, Pierre, pourquoi tu m'appelles ?

Une fois rendu chez lui, j'ai tout de suite vu que ça n'allait pas : il respirait plus vite que d'habitude et avait le teint terreux. Le stéthoscope que j'avais apporté me révélant d'inhabituels râles, j'ai su qu'il fallait nous rendre à l'hôpital, proposition qui reçut un accueil aussi glacial que la température extérieure. Après une brève négociation où l'opinion médicale eut nettement le dessus, nous sommes sortis en pleine poudrerie, roulant ensuite jusqu'à l'urgence de l'Hôpital général juif. Constatant un taux extrêmement bas d'oxygène, l'infirmière ajusta un masque qui n'allait plus le quitter et le fit installer sur une civière. La pneumonie, confirmée par le cliché radiologique, avait commencé son travail de sape. Il devait être hospitalisé, ce qu'il redoutait plus que tout. Après l'avoir veillé quelques heures, je le quittai pour la nuit. J'étais déjà préoccupé.

De retour le lendemain, mes collègues me montrèrent l'inquiétante radiographie de contrôle : l'infection avait progressé, affectant maintenant la presque totalité de son poumon. Je me rendis au chevet du malade qui essayait de sourire à travers son masque. Ses phrases étaient saccadées, interrompues par les efforts respiratoires.

Ce n'était pas la première fois que de telles difficultés pulmonaires m'alertaient. Quelques années plus tôt, un essoufflement apparu dans un tout autre contexte m'avait permis de diagnostiquer ce qui allait être, jusque-là, sa plus grave maladie depuis l'adolescence. J'avais alors bien cru le perdre.

*

*   *

C'était en 2003, durant l'été. Nous étions tous ensemble au chalet et le temps magnifique nous permettait de vaquer à nos occupations favorites. Tout allait bien, jusqu'à ce jour où j'avais remarqué la respiration rapide de mon père lorsqu'il déplaçait les pierres du lac, une de ses activités favorites, parce qu'elle lui permettait à la fois de se baigner et de travailler physiquement. Alors qu'il n'avait jamais été bien fort, il devait être assez fier de pouvoir soulever sous l'eau des pierres volumineuses.

Je m'approchai, l'observant à la dérobée. Sentant être l'objet d'une attention suspecte, il remarqua mon manège, même si le médecin tentait de se dissimuler derrière les apparences du fils. Sa respiration était vraiment laborieuse. En m'approchant, je remarquai aussi la pâleur de ses mains et de ses ongles. Les morceaux du puzzle s'agençaient dans l'esprit du médecin, malgré le déni qui brouillait les perceptions du fils. Une anémie, probablement causée par un saignement occulte, qui devait provenir du tube digestif et pouvait être dû à un cancer. Je n'imaginais pas le pire, il s'agit simplement d'une condition fréquente à cet âge. Mais j'étais sous le choc de mon hypothèse. Pour la première fois de ma vie, la vulnérabilité de mon père, figure jusque-là intemporelle, se manifestait. Remontant au chalet, je passai lentement devant ma mère, qui m'arrêta net, avec un de ces cris dont elle avait le secret. Mais elle souriait et pointait mon dos, où un éphémère s'était accroché. Elle le retira délicatement, puis le relâcha. J'en éprouvai tout de même un vague malaise, y voyant un symbole de mauvais augure.

Plus tard, je ressortis seul, pour aller au bord de l'eau m'asseoir sur notre vieux quai de ciment, en ruines malgré les pierres empilées par mon père à sa base. En ce début de soirée, le vent soufflait sud-ouest tandis que le soleil glissait derrière les basses montagnes situées de l'autre côté du grand lac. Je prévoyais le pire et commençais à m'y préparer. Une heure durant, j'en eus la vue troublée. Perdu dans mes pensées, j'observais le ballet des vaguelettes se succédant sur la plage, chacune s'estompant pour laisser place à la suivante. Je songeais qu'à une tout autre échelle, les fils succèdent aussi aux pères, avant de s'effacer eux-mêmes. Le soir, à l'hôpital du village, la prise de sang confirma mes soupçons. L'anémie était si sévère qu'il fallait retourner tout de suite en ville pour en trouver la cause.

Quelques semaines plus tard, au sortir de la clinique externe de gastroentérologie où mon père avait subi une coloscopie de même qu'un examen de l'estomac, il débordait malgré les circonstances d'une bonne humeur contagieuse, rigolant de tout et de rien, saluant gaiement les autres patients, marchant rapidement, frôlant parfois les murs et les colonnes et levant le ton lorsque je tentais de redresser sa trajectoire hasardeuse. C'est tout juste s'il ne chantait pas dans les couloirs. Les sédatifs reçus pour l'examen donnaient à la scène une tournure tragicomique, compte tenu de ce que je venais d'apprendre.

Le gastroentérologue ayant procédé à l'examen, ancien confrère de classe très gentil, m'en avait expliqué le résultat quelques minutes plus tôt, sur le ton calme du médecin qui souhaite ménager son interlocuteur. Il dessinait ce qu'il avait décelé sur le schéma du tube digestif servant de rapport, tout en commentant les détails. Dans l'œsophage, il n'avait rien vu d'anormal. L'estomac était tout aussi libre de maladie. À l'autre bout, le côlon gauche lui était apparu impeccable, tout comme le côlon transverse. Quant au côlon droit, il était également sain, sauf... Il fit une pause et leva vers moi des yeux attristés. Sa main dessina une énorme masse dans la région du cæcum, dans le côlon droit. C'était un cancer bourgeonnant de plus de neuf centimètres, qui envahissait la paroi. Je n'étais même pas surpris.

— Je suis désolé, Alain.

Je choisis de l'annoncer moi-même au malade. Au retour de l'hôpital, après avoir blagué un peu en attendant la dissipation des sédatifs, nous nous sommes assis plus sérieusement à la table de la cuisine, avec ma compagne et ma mère. J'imagine que j'avais moi aussi cette attitude un peu trop solennelle qui convient à l'annonce des graves nouvelles. Mon père affichait déjà cet air résigné que je lui connaissais ; il avait sûrement deviné. Il fallait lui annoncer la nouvelle, en choisissant les mots afin d'être bien compris, sans trop l'affoler.

Il le prit stoïquement. Après tout, ce diagnostic confirmait simplement ce qu'il affirmait à tout le monde, à savoir qu'il était cancéreux depuis sa tendre enfance. Bien sûr, la preuve avait pris plusieurs décennies à se manifester, mais il avait finalement eu raison, envers et contre tous. Curieusement, au-delà de cette boutade, j'ai eu l'impression que s'opérait en lui un changement plus profond, dont j'eus la confirmation dans les semaines suivantes : la maladie avait eu un effet paradoxal, semblable à celui du second coup de menhir sur la mémoire de Panoramix. Son hypocondrie avait disparu ! La maladie réelle avait en quelque sorte remplacé la maladie imaginaire.

Mais dans le monde des cancers réels, il fallait préparer une vraie chirurgie, ce qui demandait des examens préparatoires, que le patient affronta avec d'autant plus de courage qu'il y eut d'autres mauvaises nouvelles. Nous avions commencé par le plus simple, un électrocardiogramme, qui montra une arythmie cardiaque insoupçonnée. Le cardiologue consulté lui fit alors subir un test à l'effort sur tapis roulant, dont le résultat fut désastreux. Le test témoignait d'une angine de poitrine sévère, ce qui était inquiétant, compte tenu de la chirurgie prochaine. Ça allait de mal en pis. Un examen de médecine nucléaire permit cependant d'éliminer cette possibilité.

Le scan de l'abdomen, prescrit par le gastro-entérologue, révéla pour sa part trois lésions potentiellement métastatiques, le radiologiste ne pouvant se prononcer avec certitude. Après discussion avec les consultants, sachant que cette mauvaise nouvelle ne changerait rien à la conduite – il fallait tout de même opérer –, je décidai de n'en rien lui dire. Dans la famille, seule ma compagne le sut. Mon raisonnement était simple : s'il s'agissait de métastases, tout était fini. À quoi bon le lui révéler maintenant ? Les cancers à son âge peuvent aussi croître très lentement. Mon père ayant refusé tout scan subséquent, jugeant qu'il avait fait plus que sa part, nous n'avons jamais su le devenir de ces lésions suspectes. Et c'est très bien ainsi.

L'étape suivante, cruciale, était la chirurgie. Selon ses souhaits, il allait être opéré à l'Hôpital général juif, un excellent centre pour le cancer. La première rencontre avec le chirurgien fut cependant digne d'un Ionesco monté par des collégiens. Le dialogue était si absurde que je croyais assister à une représentation de *La cantatrice chauve*. Sommité en son domaine, l'éminent chirurgien, assez peu bavard, n'arrivait pas à établir avec cet homme de lettres, novice en maladies, une relation thérapeutique convenable.

Peu impressionné par deux énormes traités médicaux posés bien en vue sur le vaste bureau du chirurgien, qui en était bien sûr l'auteur, l'apprenti patient eut cette répartie qui n'augurait rien de bon pour la suite : « Seulement deux ? Moi j'en suis à 22 ! » Le chirurgien croyait avoir affaire à un dérangé.

— Euh... Vingt-deux quoi ?

— Vingt-deux livres.

— Vous avez... perdu ? Vingt-deux livres ?

— Pas du tout, je les ai écrits.

— Vous n'avez pas perdu de poids. C'est bon signe.

Mon père me jetait des coups d'œil perplexes. Entre auteurs aussi considérables, il s'attendait sûrement à une conversation plus littéraire, comme avec le regretté docteur Jacques Ferron ou encore ses amis médecins. Aussi avait-il de la difficulté à respecter les règles pourtant simples d'un questionnaire médical de base, surtout mené par un chirurgien assez peu philosophe. Il ne se rendait peut-être pas compte que son statut d'éminent essayiste n'avait pas complètement pénétré la communauté médicale juive anglophone de l'ouest de Montréal.

— Vous écrivez aussi des manuels?

— Certes non.

— Des romans policiers?

— Ce sont plutôt des essais.

— Vous n'y arrivez pas?

— Au contraire, je réussis.

— Et qu'en est-il de la régularité?

— Chaque matin, je dirais durant trois ou quatre heures.

— C'est long.

— Un écrivain, monsieur, ça écrit!

Cette fois, c'est le chirurgien qui me jetait des coups d'œil désespérés, tandis que je tâchais de garder mon sérieux. Mon père avait vraiment le symptôme très littéraire; à ses yeux, les questions biologiques étaient des métaphores existentielles. Après avoir consulté sa montre, le chirurgien pressa le rythme:

— Non! Je vous parle de vos selles!

Son patient se retourna vers moi:

— Qu'est-ce qu'il dit?

Le chirurgien était exaspéré.

— Le caca!

Il avait prononcé cela si fort que le patient en resta médusé. Profitant de l'accalmie, le chirurgien au scalpel d'or enfila un gant de latex en brandissant son index. L'essayiste, observateur tout de même doué de la nature humaine, comprit le message et se leva docilement. Avec un reste de dignité, il se rendit jusqu'à la table d'examen dissimulée derrière le petit rideau. Je préfère taire la suite.

Quoi qu'il en soit, le chirurgien étant un maître, la délicate opération fut bien menée et le bout de tuyau coupable, proprement réséqué. Le postopératoire fut toutefois plus mouvementé. Trois jours après la chirurgie, l'état de mon père empirait plutôt que de s'améliorer. Quand j'arrivai à l'hôpital, son infirmière me demanda si mon père marchait avant l'opération. Inquiété par cette question saugrenue, je me rendis rapidement jusqu'à sa chambre.

Dans son grand lit d'hôpital, ses cheveux épars, son visage amaigri et son teint anémique – et son âge, bien entendu – le faisaient paraître bien vieux. Mais il y avait autre chose : encore une fois, il respirait trop vite. Je pris le pouls : il était rapide, à plus de 125 à la minute, et très irrégulier. Son arythmie ! À l'aide d'un stéthoscope laissé sur un chariot, je l'auscultai : les poumons crépitaient. J'examinai son cou : les veines jugulaires étaient gorgées. Je jetai un coup d'œil à la feuille des signes vitaux : l'oxygène descendait parfois sous les 80 %, un seuil critique, et la pression était de plus en plus élevée.

Mon père était en œdème pulmonaire, crise hypertensive et arythmie rapide, une spirale qui pouvait lui être fatale. La difficulté qu'il éprouvait en marchant n'était que l'expression indirecte d'un manque d'oxygène flagrant. Comme il fallait agir immédiatement, je courus au poste des infirmières afin qu'on fasse venir son chirurgien, mais il n'était pas à l'hôpital. Alors il fallait appeler le résident de garde, mais il était occupé au bloc opératoire. Alors le junior, quelqu'un ! L'infirmière me demanda pourquoi.

— Parce que mon père fait un œdème pulmonaire et que ça ne va pas !

Elle restait sceptique et au bout d'un délai qui me parut interminable, un jeune homme au visage de poupon, flottant dans un sarrau bien propre, aux poches alourdies par ses petits livres, entra dans la chambre de mon père, lui posa quelques questions avec un air sérieux, l'ausculta doctement, puis se retourna vers moi. Il commença à m'expliquer que les bruits anormaux pouvaient être dus à une atélectasie pulmonaire, phénomène fréquent et sans gravité chez les personnes âgées, surtout en postopératoire, et qu'il ne fallait pas s'en inquiéter. Je qualifiai son hypothèse d'intéressante, mais j'argumentai qu'à mon avis, l'arythmie s'accélérant causait un œdème pulmonaire qu'il fallait traiter immédiatement pour éviter l'insuffisance respiratoire. Il fit la moue. J'ajoutai qu'il fallait administrer de la nitroglycérine et un diurétique intraveineux.

Après un autre moment de réflexion, prenant en considération cette deuxième opinion, assez différente de la sienne, il m'expliqua qu'il allait procéder à une radiographie et qu'il aviserait ensuite son patron, compromis qui m'apparaissait insuffisant mais que j'acceptai faute de mieux. Avant de quitter la chambre, le résident fit prudemment augmenter le niveau d'oxygène. Quelques minutes plus tard, j'assistai à une scène surréaliste : une vive discussion entre un technicien de radiologie de fort mauvaise humeur et mon jeune résident. Monté avec son gros appareil mobile de radiographie, le technicien affirmait que le patient lui paraissait assez stable pour descendre en radiologie et qu'il effectuerait plutôt le cliché en bas, comme le voulait la procédure. Il tourna donc les talons et disparut. On fit descendre mon père, dans son grand lit qui négociait difficilement les virages des couloirs, pendant que je patientais près du poste des infirmières.

À son retour, il était encore plus essoufflé. Le résident avait entre-temps disparu. Peut-être était-il allé voir la radiographie? Je retournai au poste d'accueil, où mon irruption fit froncer les sourcils de l'infirmière. Le résident était allé répondre à une urgence à l'autre bout de l'hôpital.

— Et le senior?

— Toujours en salle d'opération.

— Et mon père?

— On s'en occupe, ce n'est pas une urgence.

Ça tombait mal, j'étais justement persuadé du contraire. Je retournai à la chambre, croisant ma mère très inquiète, qui tournait en rond dans le couloir et me pressait d'agir. Je ne fis ni une ni deux et descendis quatre marches à la fois jusqu'en radiologie, stéthoscope au cou.

— Bonjour, je suis le docteur Vadeboncoeur, je veux voir le poumon du patient de la chambre 532.

— Bien entendu, le voici.

L'image était claire: un œdème pulmonaire carabiné; je courus jusqu'à l'urgence, y trouvai mon bon ami et confrère Steve, lui expliquai brièvement la situation, tout en lui montrant la radiographie.

Nous sommes retournés en vitesse à l'étage. Ma mère était au poste des infirmières et me cherchait.

— Who?

— My son!

— Oh... Here he is...

Mais je passai en trombe, suivi par Steve, qui constata tout de suite au chevet de mon père l'urgence de la situation. Il fit demander la nitroglycérine et un diurétique. Je pris directement la pompe des mains de l'infirmière et administrai deux bouffées salvatrices à mon père, tandis que Steve lui injectait un diurétique intraveineux à bonne dose et augmentait l'oxygène au maximum. Au bout de quelques minutes, la respiration commença à ralentir. Le pire était évité. Je remerciai chaleureusement Steve.

La résidente des soins intensifs, arrivée entre-temps, prit en charge la suite des choses et je retournai auprès de ma mère, toujours au poste. L'infirmière me toisa du regard :

— Oh, here's the boss!

Ce surnom allait me suivre dans cette excellente unité de soins chirurgicaux, visiblement moins habituée aux problèmes cardiaques.

Lors du transfert aux soins intensifs, mon père, qui respirait maintenant plus librement, subit un choc à la vue de ces nombreux patients branchés à d'étranges appareils, entubés de partout, entourés de cadrans, éclairés par diverses lumières et baignant dans ces bruits terrifiants – une vision d'enfer pour un hypocondriaque, même en rémission.

Cette nuit-là, lorsque tout fut revenu au calme, m'observant à la dérobée entre des périodes d'assoupissement, il se mit à pleurer, pour la première fois devant moi depuis l'annonce du cancer. Je lui demandai si je pouvais faire quelque chose pour lui. Après quelques secondes, il me sourit, puis eut cette belle phrase :

— Non. Je pensais seulement à notre relation.

L'arythmie cardiaque stabilisée, les poumons vidés de l'œdème accumulé, la plaie guérissant bien, les médicaments ajustés, la suite des choses se déroula parfaitement. Quelques jours après, il reçut son congé de l'hôpital, retourna chez lui, prit deux ou trois comprimés de Tylenol, les rangea ensuite définitivement, puis déclara d'autorité, sans compromis possible, son refus de retourner voir son chirurgien. Reprenant graduellement ses forces, il retrouva sa routine d'écrivain.

Quelques semaines plus tard, sans doute encouragé par l'autorité avec laquelle il prenait le contrôle de sa jeune carrière de convalescent, il me déclara comme si de rien n'était qu'il ne souhaitait pas non plus reprendre ses marches rituelles, parce que cela lui semblait superflu et que c'était d'ailleurs un peu fatigant. Face à cette affirmation stupide et potentiellement catastrophique pour sa mobilité future, le médecin et le fils perdirent en même temps patience, ce qui n'était pas fréquent. Je lui expliquai froidement que l'ankylose finirait par le gagner et qu'il terminerait ses jours dans un fauteuil roulant, comme son vieux frère. Décontenancé qu'on pût aussi directement contester son jugement proverbial, il fut tout de même inquiété par cet avertissement, servi avec une certaine raideur de ton. Et sans même m'en informer, rouspétant pour la forme auprès de ma mère, il reprit ses marches quotidiennes, regagnant graduellement ses capacités. Mon père avait échappé à la mort à 83 ans et en était bien content.

Cette guérison se compliqua toutefois par le retour inévitable de l'hypocondrie – comme quoi rien ne se perd ni ne se crée. Il faut dire que l'origine de cette crainte démesurée des maladies remontait à une grave mésaventure qui l'avait profondément marqué adolescent. Plus exactement, en 1934, quand mon père avait 14 ans, un empyème thoracique, terrible infection de l'enveloppe des poumons, avait bien failli l'emporter, à une époque où les antibiotiques n'étaient pas encore disponibles. Il devait s'agir de la complication d'une pneumonie. Cet empyème progressait chaque jour, affaiblissant mon pauvre père déjà chétif et menaçant sa respiration. Il fut donc hospitalisé à l'hôpital du Sacré-Cœur, spécialisé dans les soins pulmonaires et la tuberculose. Le célèbre Norman Bethune, chirurgien thoracique, proposa une opération apparemment peu commune, la résection d'une côte et le drainage de la cavité pulmonaire, intervention réussie, mais qui se compliqua d'un quasi-arrêt cardiaque. Le jeune patient garda le lit longtemps, tandis qu'on effectuait chaque semaine le douloureux drainage de la cavité thoracique. Au bout de six mois, il fallut refermer la plaie, sans anesthésie générale, parce que le chirurgien croyait que mon père n'y survivrait pas. L'adolescent en garda comme séquelles une «faiblesse au poumon», une cicatrice profonde au thorax, mais surtout, une peur terrible des maladies et de la mort, qui ne devait plus jamais le quitter.

271

Il craignait tout particulièrement les infections pulmonaires, portant dès lors une attention maniaque aux risques de contact avec les virus et à tout ce qui pouvait, dans son esprit troublé, favoriser leur multiplication : températures froides, cheveux ou pieds mouillés, cou et poitrine exposés, courants d'air, climatisation, etc. Il m'a d'ailleurs un peu transmis sa virophobie : je supporte difficilement les tousseux, surtout quand ils ne portent aucun masque, et ceux qui donnent des becs même s'ils couvent un rhume.

Je fus conséquemment gavé toute mon enfance de produits taillés à la mesure de l'ennemi, comme le sirop CréoTerpin, douteux expectorant verdâtre contenant de la créosote, qu'il me fallait boire à la moindre quinte de toux. Et si un mal de gorge se pointait, c'était plutôt le temps de gargariser tout ça au Stérisol, bourré d'alcool. En cas de plaie, même superficielle, pour éviter l'invasion bactérienne, le mercurochrome, liquide écarlate suspect, était journellement étalé sur l'abrasion coupable.

*

* *

En janvier 2010, trois quarts de siècle après l'empyème redoutable qui avait failli terrasser l'adolescent, la pneumonie tant redoutée avait donc attaqué et le cloîtrait maintenant aux soins intensifs de l'Hôpital général juif. Trop essoufflé pour parler, trop fatigué pour lire, il passait ses soirées à réfléchir ou somnoler. Sur un petit lecteur portable que j'avais acheté, il regardait des photos familiales et un montage de films muets, tournés par lui dans les années 1960 à l'aide d'un appareil 8 mm à crinque. J'y avais ajouté de la musique, entre autres l'*Hymne à l'amour* d'Édith Piaf et *Petite fleur* de Bechet. Prisonnier comme en 1934 et en 2003 d'un redoutable environnement médical, entouré de bidules et de lumières et réveillé à tout bout de champ par des alarmes, dont la sienne quand son niveau d'oxygène chutait, il semblait paradoxalement peu angoissé, malgré les bruits, les râles et les cris résonnant autour. Peut-être manquait-il de l'énergie requise pour s'inquiéter davantage? Il semblait surtout fasciné comme un enfant et remerciait régulièrement d'un geste ou d'un regard les infirmières pour leurs bons soins; plus attentionnées les unes que les autres, elles le trouvaient bien attendrissant.

Au milieu de cet univers étrange, il me révéla un soir, à voix basse et avec un enthousiasme contenu, ce grave secret: «Je viens de découvrir l'Amérique.» L'Amérique, c'était quoi? La modernité? L'hôpital? La technologie? Me laissant dans le vague, il haussa simplement les épaules, puis ajouta: «New York.» Je n'eus jamais d'autre réponse. Mon père en paix avec la médecine? C'était tout de même étonnant. La seule fois dans sa vie où il n'avait pas été rebuté par la médecine, c'était quand je lui avais annoncé mes résultats aux examens d'université, laborieusement réussis. Dans ma famille où l'on était plutôt artistes, la médecine n'avait pas bonne réputation.

Quoi qu'il en soit, malgré les antibiotiques et les traitements que mon père recevait, la pneumonie s'aggravait et ses forces l'abandonnaient, comme si chacune des cellules de son corps se vidait lentement de son énergie vitale. Dans une sorte de cérémonie entropique, il s'en allait doucement. Pressentait-il la fin ? Devenant chaque jour plus dépendant de l'oxygène, dont il fallait augmenter régulièrement la concentration, ne pouvant plus parler sans s'épuiser, il se confiait dorénavant à ma mère par écrit : « je ne m'attendais pas à cela ». Pensait-il encore pouvoir s'en sortir ?

« Le feeling des partys de 1960, tu te rappelles ? Bechet avec tout ça. À prévoir pour ma libération. Oui, il faut faire ça. »

Il passa ensuite cette commande précise, sans trop y croire :

« Très petite bouteille à bouchon de métal dévissant, et qu'on peut parfaitement camoufler. Italien, si possible, pour boire la nuit venue. Séjour possible à cette condition. Autrement je sacre mon camp. »

Le ton étant impératif, je courus avec mon fils acheter une demi-bouteille du meilleur blanc, un bourgogne aligoté Louis Max Les Terpierreux, que nous avons introduite à l'hôpital en soirée comme des voleurs. Un large sourire éclaira cette nuit-là le visage amaigri de mon père, qui savourait longuement le vin frais bu à la paille.

Mais la pneumonie, ennemie implacable, progressait toujours, plus forte que la médecine, que l'Amérique et même que le bon vin. Ses médecins lui firent passer un scan thoracique, afin de comprendre pourquoi elle ne répondait pas aux traitements. La réponse fut étonnante. Du côté jadis opéré par Bethune, il n'y avait rien, pas la moindre infection. Cela m'avait d'abord rassuré, jusqu'à ce que le pneumologue m'en explique le pourquoi : ce poumon n'était plus fonctionnel depuis des décennies, il ne respirait pas et ne servait à rien, enserré dans une sorte de coque cicatricielle des suites de l'opération, ce qui rendait le mouvement d'air impossible. Mon père n'avait qu'un seul poumon sain et nous n'en savions rien.

Sauf que cet unique poumon fonctionnel était maintenant rempli de pus. Comme une toile d'araignée, la pneumonie s'infiltrait dans chacune de ses alvéoles, ce qui expliquait pourquoi il ne pouvait plus se séparer de l'oxygène concentré. Dès que son masque glissait, l'oxygène sanguin, mesuré au bout de son doigt, chutait dramatiquement, déclenchant des alarmes qui permettaient au personnel de venir corriger la situation. Une nuit, tandis que je le veillais, assis dans un fauteuil confortable dont je me levais de temps en temps afin de replacer son masque, j'avais été tiré d'un très profond sommeil par un tumulte : l'alarme avait sonné sans me réveiller, puis deux infirmières étaient accourues pour prendre soin de mon père. Il faut croire que j'avais accumulé beaucoup trop de fatigue pendant ces deux difficiles semaines à l'hôpital.

Devant l'absence de réponse aux antibiotiques, les pneumologues craignirent un moment que l'infection ne soit tuberculeuse, réactivation d'un bacille endormi depuis les années 1930, ce qui nous obligea à porter masques, gants et blouses quelques jours durant. Mon père fut alors transféré dans la salle spéciale d'isolement respiratoire des soins intensifs jusqu'à ce qu'on abandonne cette hypothèse.

Principal lien entre les médecins et ma famille, je devais m'appliquer à traduire la gravité réelle de la maladie tout en ménageant mes proches. Je tâchais aussi de laisser autant que possible la place aux médecins traitants pour les explications plus difficiles. Il y eut des discussions quant à l'opportunité de brancher mon père à un respirateur, mais les pneumologues craignaient qu'on ne puisse après-coup l'en séparer, vu la fragilité de sa condition pulmonaire, le long séjour à l'hôpital et son âge avancé.

Quelques jours avant sa mort, dormant beaucoup et perdant ce qui lui restait de forces, mon père allait tracer d'une écriture incertaine, tremblante et miniaturisée, ses derniers mots, concluant ainsi sa longue et fructueuse carrière d'écrivain sur un verbe douteux, qui l'aurait bien fait rigoler en d'autres circonstances :

« Même quand je sais où les choses sont, je ne peux pas les situer, me démerder... »

Comme chaque membre de la famille, je passais beaucoup d'heures à son chevet, lui parlant, le réconfortant et lui rafraîchissant le front avec un linge humide quand perlait la sueur. Plus le temps passait, plus ses yeux restaient clos, mais il était toujours présent, affichant l'air concentré que je lui connaissais bien. Il murmurait parfois quelques mots plus ou moins audibles, se taisait ensuite de longues heures, esquissait un sourire de temps en temps, tendait la main, nous saluait, et surtout dormait beaucoup.

On le sentait résigné, mais serein ; il savait où il s'en allait, sans peur et sans douleur, ne pouvant se défiler, alors nous le suivions. Réfléchissait-il à l'expérience ultime, mesurant l'adversaire qui gagnait peu à peu le combat ? Je ne sais pas, mais il lui faisait face, sans sourciller ni hésiter, sans se plaindre. Aucun faux-fuyant, aucun théâtre, plutôt une grâce apaisée, solennelle et en phase, à l'image de son écriture. L'écrivain en était à son épilogue et ne s'étonnait plus de la fatalité, la partie étant perdue.

Cette acceptation surprenait chez un homme qui avait tellement craint la maladie. Je constatais pour ma part que cette avancée vers la mort était paradoxalement d'une beauté grave, complète en elle-même, muet poème de fin de vie. Parce que c'était une profonde joie d'accompagner ainsi mon père, de pleurer auprès de lui, de lui offrir un peu d'eau, de replacer ses cheveux, de l'aider à trouver une position confortable, de le border. Ainsi résonnait l'écho de notre relation vieille de 46 ans, qui trouvait, par ce renversement des rôles, une sorte de résolution. Je marquais, par ces gestes tout simples, l'essence même de la filiation.

Relisant le soir certaines pages d'*Un amour libre*, ému par la beauté d'un texte nous concernant tous les deux intimement, j'étais bouleversé : « J'ignore ce qu'il en adviendra. La seule chose que je sais, c'est que j'ai vu le passage de l'enfance sous mes yeux, intacte et chantante, dans un monde que je sais mauvais. [...] J'aurais vu pour toujours un spectacle révélateur de l'espérance. »

Enfant angoissé, la nuit m'apportait jadis son lot de craintes. Comme j'occupais une chambre tout à l'arrière de notre grande maison, mon père essayait de dissiper ces peurs en me tenant compagnie, assis sur une chaise placée dans le corridor. Quand j'étais trop agité, certaines nuits de cauchemar, il me caressait les cheveux. Un soir que ma mère l'appelait, je l'aperçus, endormi. « Chut ! Papa dort », avais-je répondu, question de protéger son sommeil. Mes inquiétudes s'estompèrent ensuite graduellement, pour ne plus revenir.

Mon père était en avance sur son temps, mais il portait aussi la réserve paternelle de sa génération. Nous avions beaucoup parlé, beaucoup ri, parfois pleuré, rarement crié, or ces dernières années, par pudeur, certains mots manquaient tout de même à nos confidences. Un soir, à l'acmé de cette veille attentive, sentant sa fin prochaine, je lui demandai s'il savait à quel point je l'aimais.

Épuisé, mais encore conscient, son visage s'immobilisa. Puis, il sourit faiblement, gardant les yeux clos. On ne pouvait dire s'il célébrait le bonheur perdu ou se résignait à sa disparition prochaine ; mais il souriait nettement, comme d'une évidence. Entre nos premiers rires, sans doute échangés au-dessus de mon berceau, jusqu'à ce dernier sourire, il n'y avait aucune distance. Ce sourire exprimait la persistance d'un amour libre et demeuré bien vivant.

Peut-être aussi avait-il eu le temps de comprendre qu'il s'était trompé, lorsqu'il avait écrit : « Il me resterait le regret, puis, après, le vieil âge. [...] nos histoires seraient devenues fixes comme des souvenirs, spectrales et pâles comme eux. [...] Elles rappelleraient un temps, mais par elles-mêmes elles ne seraient plus rien[2]. » Malgré nos vies divergentes, malgré les épreuves, les douleurs et les doutes, malgré l'âge et même la mort venant, notre relation était demeurée la même, c'était une évidence.

Ce fut là notre dernier échange. Dans les heures qui suivirent, il perdit contact avec nous. L'équipe médicale lui fit passer un scan du cerveau. Causés par le manque d'oxygène, des accidents vasculaires cérébraux massifs expliquaient l'inconscience. Et tout redevint simple. Mon père allait mourir et ne souffrirait pas.

Au début de la dernière nuit, on nous a rappelés, parce que c'était presque fini. Nous avons formé autour de lui le dernier cercle. Les frontières entre nous étant de moins en moins nettes, comme si nous ne formions plus qu'un seul corps essentiel.

Les chiffres devenus futiles, je fis éteindre tous les appareils de surveillance. Et dans le calme de cette nuit, son cycle respiratoire agonique demeura le seul témoin vital, tandis qu'il était immobile.

La bouche délicatement entrouverte, la lèvre supérieure quelque peu relevée, les yeux clos, il tenait dignement la pose. Sa respiration, nos chuchotements et les mots doux glissés à son oreille formaient une berceuse atonale.

Seul demeurait le sifflement de l'apport d'oxygène, que je proposai de cesser graduellement. Il y eut des pleurs résignés, des cris assourdis et de brefs soupirs. Cette ultime résistance s'est rapidement dissipée.

---

2. *Un amour libre, op. cit.*

Chacun de nous avait désormais parcouru le reste du chemin menant jusqu'à l'acceptation. Nous arrivions ensemble à la fin d'un cycle de vie.

À la lueur d'un lampadaire éclairant la chambre d'une lumière aussi douce que celle de la Lune, nous quittions New York et l'Amérique, pour retourner dans la vieille Europe, au chevet imaginaire de l'ancêtre Paul Mirabin dit Vadeboncoeur, né en France, en 1727.

Je regardai l'infirmière de nuit. Elle acquiesça d'un geste de la tête.

J'approchai la main du contrôleur d'oxygène.

Je marquai un temps, puis réduisis le débit du gaz vital à neuf litres par minute.

On pleura de nouveau.

J'attendis quelques minutes.

Huit litres, maintenant.

Puis sept.

C'était une étrange cérémonie.

La respiration ralentissait, sans que n'apparaisse de signe de détresse.

Six litres.

Son visage était calme.

Ma main ne tremblait plus.

Cinq litres.

La vie s'éteignait comme une mèche au bout de son huile.

Quatre.

Trois.

J'agissais sans mot dire.

Deux.

Une.

J'attendis.

Je levai pour la dernière fois ma main.

Zéro.

Mon père partageait avec nous l'air ambiant.

Et comme les vagues sur un lac en fin de journée, quand le vent tombe, son cycle respiratoire diminua graduellement d'amplitude.

Jusqu'à n'être plus qu'un soupir.

Jusqu'à ce point ultime où l'on ne pouvait plus dire si l'air circulait.

Puis, ce fut l'immobilité.

Et le silence.

Après un long moment, je pris délicatement sa main, pour vérifier son pouls.

Quand le médecin reposa la main, à 3h52, le 11 février 2010, le fils avait déjà perdu son père.

MERCI...

... à tous mes patients, morts ou vivants, de qui j'ai tellement appris, et à qui j'espère avoir rendu hommage par ces récits;

... à tous ceux avec qui j'ai travaillé de près ou de loin, depuis 1990, dans les urgences de l'hôpital Pierre-Boucher, de l'Institut de cardiologie de Montréal et de l'hôpital du Sacré-Cœur, de même qu'en préhospitalier;

... à Alexis Martin et à toute l'équipe de la pièce *Sacré-Cœur*, pour m'avoir fait vivre une des plus belles aventures théâtrales qu'on puisse imaginer;

... à Guylaine Tremblay, pour son remarquable travail de comédienne et sa belle préface;

... à ma mère, Marie Gaboury-Vadeboncoeur, pour la correction très attentive de ce manuscrit;

... à l'équipe des blogues de *L'Actualité* et de *Profession-Santé*, pour leur appui et leur professionnalisme;

... enfin, à Mark Fortier, Alexandre Sánchez et toute l'équipe de Lux, pour le soutien, les idées, la grande qualité du travail d'édition et la camaraderie.

TABLE

CET OUVRAGE A ÉTÉ IMPRIMÉ EN SEPTEMBRE
2014 SUR LES PRESSES DES ATELIERS DE
L'IMPRIMERIE LEBONFON POUR LE COMPTE DE
LUX, ÉDITEUR À L'ENSEIGNE D'UN CHIEN D'OR
DE LÉGENDE DESSINÉ PAR ROBERT LAPALME

L'infographie est de Claude BERGERON

La conception graphique de la couverture est de Pointbarre

La révision du texte a été réalisée
par Laurence JOURDE

Lux Éditeur
c.p. 60191
Montréal, Qc, H2J 4E1

Diffusion et distribution
Au Canada : Flammarion

Imprimé au Québec
sur papier recyclé 100 % postconsommation